BASIC STRUCTURES – French

A Reader for

The Learnables®, Book 1

Carmen Waggoner

Harris Winitz

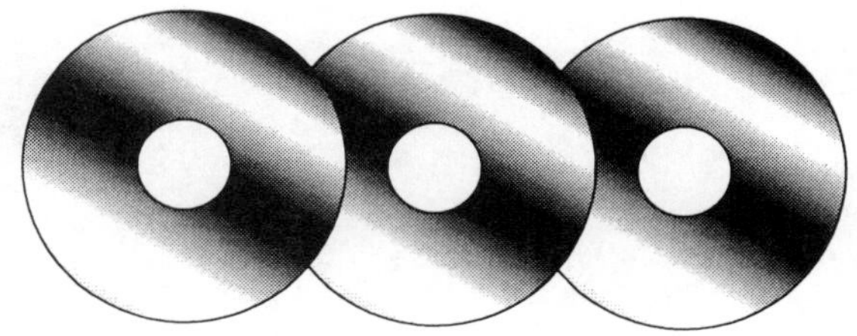

To Be Used With Audio Compact Discs

The index numbers are on the back side of the CD case.

International Linguistics Corporation

12220 Blue Ridge Bvld., Suite G • Kansas City, Missouri 64030-1175

www.learnables.com

1-800-237-1830

Artist

Syd Baker

Voice

Carmen Waggoner, France

ISBN 1-887371-57-5

Basic Structures, French, Book 1
Fifth Edition

Book to be used in conjunction with audio recordings

How to Take the Lessons

BASIC STRUCTURES, French, Book 1 is the student reader for **THE LEARNABLES®, French, Book 1**. In **BASIC STRUCTURES** the content of each lesson of **THE LEARNABLES®** is reviewed and expanded upon. Two important features of this reader are the exercises and the compact discs. The exercises assess the student's comprehension of the material presented in **THE LEARNABLES®, BOOK 1**. The compact discs provide the authentic pronunciation of the printed words.

Before students begin **BASIC STRUCTURES**, they should complete all 10 lessons of **THE LEARNABLES®, Book 1.** Reading is more easily learned when the meaning of words and the grammatical structures in which they appear are understood. **THE LEARNABLES®**, teaches comprehension of vocabulary and grammar. **BASIC STRUCTURES** teaches reading and additional grammar and vocabulary. Therefore, we recommend that the student's program of study should be: **TAKE ALL TEN LESSONS OF THE LEARNABLES® FOLLOWED BY ALL TEN LESSONS OF BASIC STRUCTURES**. This procedure is particularly important in learning French because the spelling does not correspond well to the sounds of the French language. For this reason it is important to complete **THE LEARNABLES®** before beginning **BASIC STRUCTURES**. It is also important to listen to the words in **BASIC STRUCTURES** several times. Do not pronounce the words as they are spelled. Pronounce the words as you hear them from the audio presentations.

The audio compact discs are to be used with each lesson. The **index numbers** or **tract numbers** can be found on the **back side of the compact disc case**. Begin each lesson with the **Review** section, entitled **Révision** in French. In the **Révision** section, the words in the corresponding lesson of **THE LEARNABLES®** are reviewed. Look at each picture, listen to the audio presentation, and read the text under the picture. Next comes the **Expansion** section, entitled **Expansion**. In the **Expansion** section, word usage and grammatical structures are further emphasized to assist you in the learning of French. The last section contains the exercises. Each exercise has the heading **Exercise**. The exercises in this book involve some novel, but anticipated constructions. Students will find the exercises challenging in that they provide additional experience with the French language. We recommend that all exercises be completed. Answers for all exercises are provided in the **Answer Key** section.

When you finish **BASIC STRUCTURES 1** you are ready for **LEARNABLES®** level 2. After **LEARNABLES®** 2 you go to **BASIC STRUCTURES 2**.

Now please turn to page *i* and listen to the numbers.

TABLE OF CONTENTS

NUMBERS

Please note: The numbers 11-20 are played by going to Index Number 1 on your CD player. The index numbers can be found on the back side of the compact disc case.

Listen to the numbers at the beginning of the CD. Then stop the CD player. Read the instructions on the next page, page ii. After you have read the instructions, turn the CD player on again and listen to Lesson 1.

11

12

11, 12

13

11, 12, 13

14

11, 12, 13, 14

15

11, 12, 13, 14, 15

16

11, 12, 13, 14, 15, 16

17

11, 12, 13, 14, 15, 16, 17

18

11, 12, 13, 14, 15, 16, 17, 18

19

11, 12, 13, 14, 15, 16, 17, 18, 19

20

11, 12, 13, 14, 15, 16, 17, 18, 19, 20

Instructions in French and English

The following are the English translations for the French instructions that are given in the textbook.

Révision. Regardez, écoutez et lisez.
Review. Look, listen, and read.

Exercice 1. Regardez, écoutez et lisez. Relisez les mots et inscrivez sur la ligne le numéro exact de l'image.
Exercise 1. Look, listen, and read. Read the words again and write the correct number of the picture on the line.

Exercice 2. Regardez, écoutez et lisez. Relisez les phrases et inscrivez sur la ligne le numéro exact de l'image.
Exercise 2. Look, listen, and read. Read the sentences again and write the correct number of the picture on the line.

Exercice 5. Regardez, écoutez et lisez. Relisez le paragraphe et inscrivez sur la ligne la lettre correcte.
Exercise 5. Look, listen, and read. Read the paragraph again and write the correct letter on the line.

Exercice 12. Regardez, écoutez et lisez. Relisez le paragraphe et répondez aux questions.
Exercise 12. Look, listen, and read. Read the paragraph again and answer the questions.

The Completion Exercises that appear at the end of each lesson will not be said on the tape. The instructions for the completion exercises are as follows:

Exercice 6. Complétez. Inscrivez le mot exact.
Exercise 6. Completion. Write in the correct word.

Leçons 1 et 2

Révision. Regardez, écoutez et lisez.

1. L'œuf est sur la table.
2. Le crayon est sur la pomme.
3. Le docteur mange le pain.

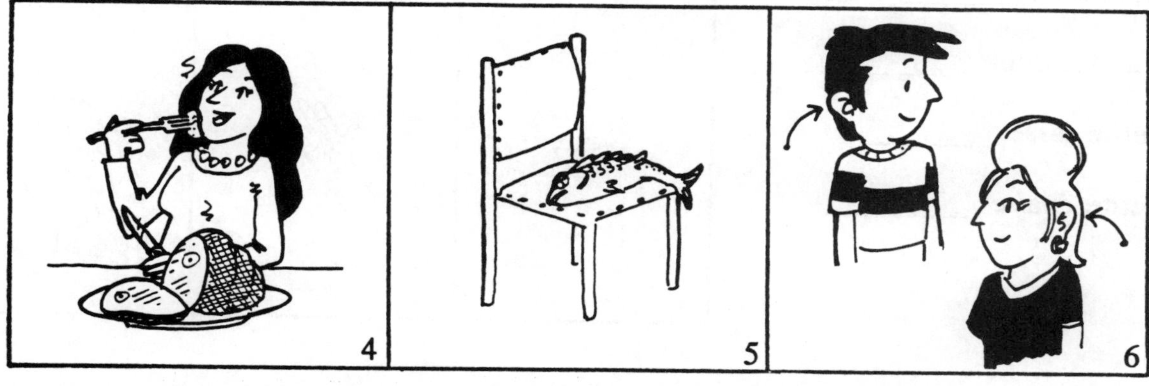

4. La dame mange la viande.
5. Le poisson est sur la chaise.
6. L'oreille du garçon. L'oreille de la dame.

7. La main du docteur. La main de la dame.
8. La petite fourchette. Le grand avion. La petite maison.
9. La petite voiture. La grande voiture. La grande tasse.

Exercice 1. Regardez, écoutez et lisez. Relisez les mots et inscrivez sur la ligne le numéro exact de l'image.

EXEMPLE

La chaise 2

Le poisson 1

1. La grande main ________
2. La petite main ________
3. La grande tasse ________
4. La grande oreille ________
5. La petite tasse ________
6. La petite chaise ________

Exercice 2. Regardez, écoutez et lisez. Relisez les mots et inscrivez sur la ligne le numéro exact de l'image.

1. Le grand avion ________
2. Le petit couteau ________
3. Le grand monsieur ________
4. Le grand crayon ________
5. Le petit pain ________
6. Le petit œuf ________

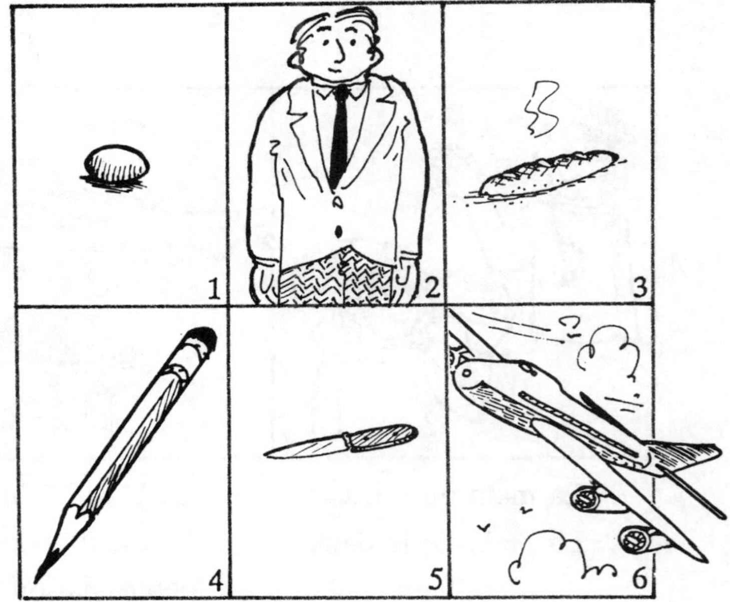

Exercice 3. Regardez, écoutez et lisez. Relisez les mots et inscrivez sur la ligne le numéro exact de l'image.

1. La main du docteur _________
2. La main du garçon _________
3. L'oreille de la dame _________
4. L'oreille du docteur _________
5. La main de la dame est sur la table. _________
6. La tasse est sur la main du docteur. _________

1 2 3 4 5 6

Exercice 4. Regardez, écoutez et lisez. Relisez les mots et inscrivez sur la ligne le numéro exact de l'image.

1. Le crayon est sur l'œuf. _________
2. L'oreille du garçon _________
3. Le docteur mange le pain. _________
4. Le docteur mange la viande. _________
5. La table et la pomme _________
6. La petite tasse _________

1 2 3 4 5 6

Exercice 5. Regardez, écoutez et lisez. Relisez les mots et inscrivez sur la ligne le numéro exact de l'image.

1. La fourchette est sur la grande tasse. ________
2. Le pain et la viande ________
3. La main du garçon ________
4. La grande tasse ________
5. Le garçon mange l'œuf. ________
6. La dame mange la pomme. ________

Exercice 6. Complétez. Inscrivez le mot exact.

EXEMPLE

pomme	sur
est	dans

1. Le docteur mange la pomme
2. La tasse est sur la table.

---

dans	mange
garçon	table
et	est

1. Le docteur ____________ l'œuf.
2. La dame est ____________ la maison.
3. Le poisson est sur la ____________.
4. Le ____________ mange.
5. La dame mange la pomme ____________ l'œuf.

Leçons 3 et 4

Révision. Regardez, écoutez et lisez.

1. La chemise est sur la table. La cravate est sur la chaise. La robe est sur la table.

2. La fille boit l'eau. Le monsieur boit le café. La dame boit le café. Le garçon boit l'eau. La carte est sur la table.

3. Le couteau est sur l'assiette. Le verre est sur la table. La cuillère est dans la tasse. La viande est dans l'assiette. La tasse est dans le bol.

4. Le monsieur mange la banane sous l'arbre. La fille mange le poisson sous l'arbre.

5. L'autobus est dans la rue. La voiture est dans la rue. La dame est dans la voiture.

6. Le garçon met la viande sur la table.

7. La dame **boit** le café. Le garçon met la banane sur l'assiette. Le monsieur mange la viande et boit le café. «Garçon ! Encore un café !»

8. Le garçon met la tasse de café sur la table.

9. Le monsieur mange la viande et boit le café.

Exercice 1. Regardez, écoutez et lisez. Relisez les mots et inscrivez sur la ligne le numéro exact de l'image.

1. Un verre d'eau __________
2. Une tasse de café __________
3. Une assiette de viande __________
4. Un bol d'eau __________
5. La table du docteur __________
6. La table de la dame __________
7. Le verre du garçon __________
8. La tasse de la fille __________
9. La voiture du monsieur __________

1 2 3
4 5 6
7 8 9

Exercice 2. Regardez, écoutez et lisez. Relisez les phrases et inscrivez sur la ligne le numéro exact de l'image.

1. Le crayon est sur la tasse. _________
2. Le crayon est dans la tasse. _________
3. Le crayon est sous la tasse. _________
4. L'assiette de viande est sur la table. _________
5. L'assiette de viande est sous la table. _________
6. L'œuf est sur l'assiette. _________

Exercice 3. Regardez, écoutez et lisez. Relisez les phrases et inscrivez sur la ligne le numéro exact de l'image.

1. Le garçon apporte l'œuf. _________
2. Ensuite, le garçon met l'œuf sur la table. _________
3. Ensuite, le monsieur mange l'œuf. _________

Exercice 4. Regardez, écoutez et lisez. Relisez les phrases et inscrivez sur la ligne le numéro exact de l'image.

1. «Encore un café.» __________
2. Le garçon apporte encore un café. __________
3. Ensuite, le garçon met le café sur la table. __________

1 2 3

Exercice 5. Regardez, écoutez et lisez. Relisez les phrases et inscrivez sur la ligne le numéro exact de l'image.

1. L'eau est dans le verre. __________
2. La cuillère est sur le crayon. __________
3. La main du garçon est sur la table. __________
4. Le garçon met le crayon sur la chaise. __________
5. L'avion est sur l'œuf. __________
6. La voiture est sur l'autobus. __________
7. La dame est dans le verre. __________
8. La fille mange la banane. __________
9. L'assiette est sur le garçon, le bol est sur l'assiette et le garçon est sous l'arbre. __________

1 2 3
4 5 6
7 8 9

Exercice 6. Regardez, écoutez et lisez. Relisez les mots et inscrivez sur la ligne le numéro exact de l'image.

1. La banane ________
2. La pomme ________
3. Le pain ________
4. L'œuf ________
5. La viande ________
6. Le poisson ________
7. L'eau ________
8. Le café ________
9. Le garçon ________

Exercice 7. Regardez, écoutez et lisez. Relisez les mots et inscrivez sur la ligne le numéro exact de l'image.

1. L'assiette ________
2. La cuillère ________
3. La fourchette ________
4. Le couteau ________
5. Le bol ________
6. Le verre ________
7. La tasse ________
8. La voiture ________
9. L'autobus ________

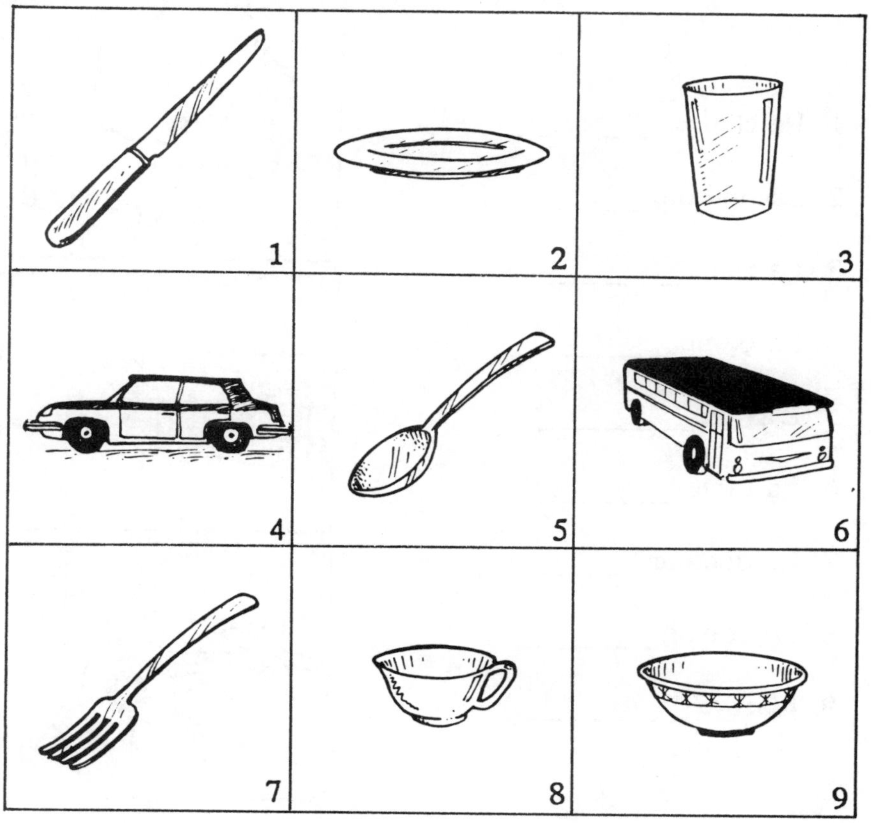

Exercice 8. **Regardez, écoutez et lisez. Relisez les mots et inscrivez sur la ligne le numéro exact de l'image.**

1. Le monsieur __________
2. La fille __________
3. Le garçon __________
4. La main __________
5. La carte __________
6. La robe __________
7. La cravate __________
8. La chemise __________
9. Le crayon __________

1 2 3
4 5 6
7 8 9

Exercice 9. **Regardez, écoutez et lisez. Relisez les mots et inscrivez sur la ligne le numéro exact de l'image.**

1. La chaise __________
2. La maison __________
3. La rue __________
4. La dame __________
5. L'avion __________
6. La table __________
7. Le docteur __________
8. Le crayon __________
9. L'arbre __________

1 2 3
4 5 6
7 8 9

Exercice 10. Complétez. Inscrivez le mot exact.

grande	met
dans	rue
plus de	boit

1. L'autobus est dans la _______________.
2. Le garçon _______________ l'assiette sur la table.
3. La voiture est _______________ la rue.
4. «Garçon ! _______________ viande.»
5. La chemise est _______________.

Exercice 11. Complétez. Inscrivez le mot exact.

de	dans
la	du docteur
l'	plus de

1. La cravate est sur _______________ chaise.
2. La fourchette _______________ est sur la table.
3. La tasse _______________ café est sur la table.
4. La cuillère est _______________ le bol.
5. _______________ autobus est dans la rue.

Leçons 5 et 6

Révision 1. Regardez, écoutez et lisez.

1. Le gros pilote et l'agent mince mangent les spaghetti. Un gros chien est sous la table.

2. Le monsieur mince a faim. Il mange une assiette de spaghetti, une assiette de viande, une glace, un œuf, une pomme et une banane.

3. «Garçon, encore un œuf et plus de café, s'il-vous-plaît.»

4. Le garçon apporte encore un œuf et plus de café.

5. Le pompier mange les spaghetti et la dame mange la viande. Le garçon apporte encore un bol de spaghetti et une tasse de café.

6. Tout le monde mange des spaghetti. Le monsieur, la dame, le pompier, le pilote, la fille, le garçon et le docteur mangent les spaghetti.

Révision 2. Regardez, écoutez et lisez.

1. La voiture, l'autobus et la voiture de la police sont dans la rue. Un agent de police sort de la voiture. Un monsieur entre dans une autre voiture. Il est mince.

2. La dame conduit un grand autobus. Le monsieur conduit un petit autobus. Il mange un œuf.

3. «Au feu ! Au feu !» Le monsieur voit l'incendie. Les pompiers arrivent.

4. «Au revoir.»

5. Le pilote pilote l'avion.

6. Il voit un incendie.

Révision 3. Regardez, écoutez et lisez.

1. La veste est trop petite et le pantalon est trop grand.
2. Le pantalon est trop petit et la veste est trop grande.
3. Tout le monde rit. Le vendeur rit, l'agent rit, la dame rit, le pilote rit et la fille rit.
4. «La veste et le pantalon sont parfaits.»
5. Une dame achète une robe.
6. Un monsieur achète une chemise.

Exercice 1. Regardez, écoutez et lisez. Relisez les phrases et inscrivez sur la ligne le numéro exact de l'image.

1. La dame a faim. La dame mange un œuf, de la viande et une glace. ________
2. Le monsieur a faim. Il mange un œuf, de la viande et une glace. ________
3. Le garçon a faim. Il mange une glace. ________
4. La dame a faim. La dame mange un œuf, du pain et une glace. ________
5. Le monsieur mince a faim. Il mange un poisson. ________
6. Le gros monsieur a faim. Il mange des spaghetti. ________

Exercice 2. Regardez, écoutez et lisez. Relisez les phrases et inscrivez sur la ligne le numéro exact de l'image.

1. La dame a faim. La dame mange un œuf, de la viande et une glace. _________
2. La dame a encore faim. La dame mange encore un œuf. _________
3. Le monsieur a faim. Il mange un œuf, de la viande et une glace. _________
4. Le monsieur a encore faim. Il mange encore de la viande. _________
5. Le garçon a faim. Il mange une glace. _________
6. Le garçon a encore faim. Il mange encore une glace. _________

Exercice 3. Regardez, écoutez et lisez. Relisez les phrases et inscrivez sur la ligne le numéro exact de l'image.

1. La veste est trop petite. Le vendeur apporte une autre veste. _________
2. Le pantalon est trop petit. Le vendeur apporte un autre pantalon. _________

Exercice 4. **Regardez, écoutez et lisez. Relisez les phrases et inscrivez sur la ligne le numéro exact de l'image.**

1. Tout le monde rit. La voiture est trop petite et le pantalon est trop grand. __________

2. L'agent voit le chien. __________

3. Le chien voit l'incendie. __________

4. Le pilote conduit la voiture. __________

5. La dame pilote l'avion. __________

6. Le docteur conduit la voiture. __________

Exercice 5. Regardez, écoutez et lisez. Relisez les phrases et inscrivez sur la ligne le numéro exact de l'image.

1. Le pompier voit la cuillère sur la table et le chien sous la table. __________
2. Le pompier voit le chien et la cuillère sur la table. __________
3. Tout le monde mange. __________
4. Le garçon apporte plus de café. __________
5. Il met le café sur la table. __________
6. L'agent boit le café. __________

Exercice 6. Regardez, écoutez et lisez. Relisez les phrases et inscrivez sur la ligne le numéro exact de l'image.

1. Le monsieur mange un œuf. __________
2. Il mange encore un œuf. __________
3. La dame mange une banane. __________
4. La dame mange encore une banane. __________
5. Le garçon met une tasse de café sur la table. __________
6. Le garçon met encore une tasse de café sur la table. __________

1 2 3 4 5 6

Exercice 7. Regardez, écoutez et lisez. Relisez les phrases et inscrivez sur la ligne le numéro exact de l'image.

1. Le pilote voit un incendie. __________
2. Le pilote voit un autre incendie. __________
3. Tout le monde mange une pomme. __________
4. Tout le monde mange une autre pomme. __________
5. Une voiture est dans la rue. __________
6. Une autre voiture est dans la rue. __________

1 2 3 4 5 6

Exercice 8. **Regardez, écoutez et lisez. Relisez les phrases et inscrivez sur la ligne le numéro exact de l'image.**

1. «Un pantalon, s'il-vous-plaît.»__________
2. Le vendeur apporte un pantalon. __________
3. Le pantalon est trop grand. __________
4. Le vendeur apporte un autre pantalon. __________
5. Le pantalon est trop petit. __________
6. Le vendeur apporte un autre pantalon. Une dame rit. __________
7. Tout le monde rit. __________
8. Le pantalon est parfait. __________
9. Le monsieur achète le pantalon. __________

Exercice 9. **Regardez, écoutez et lisez. Relisez les phrases et inscrivez sur la ligne le numéro exact de l'image.**

1. L'agent entre dans la voiture. __________
2. L'agent conduit la voiture. __________
3. L'agent sort de la voiture. __________
4. L'agent entre dans l'avion. __________
5. Le pilote pilote l'avion. __________
6. Le pilote sort de l'avion. __________

Exercice 10. Regardez, écoutez et lisez. Relisez les phrases et inscrivez sur la ligne le numéro exact de l'image.

1. La chemise est trop petite. __________

2. La chemise est trop grande. __________

3. La chemise est parfaite. __________

4. La veste est trop grande. __________

5. La veste est trop petite. __________

6. La veste est parfaite. __________

Exercice 11. Regardez, écoutez et lisez. Relisez les phrases et inscrivez sur la ligne le numéro exact de l'image.

1. La dame voit l'incendie. __________
2. «Au feu ! Au feu !» __________
3. Un pompier arrive. __________
4. Les pompiers arrivent. __________
5. Le pilote voit l'incendie. __________
6. Le chien voit l'incendie. __________

Exercice 12. **Regardez, écoutez et lisez. Relisez les phrases et inscrivez sur la ligne le numéro exact de l'image.**

1. Le monsieur voit un chien. __________
2. Le chien voit un monsieur. __________
3. Le garçon voit un agent. __________
4. L'agent voit un pompier. __________
5. Une dame voit un agent. __________
6. L'agent voit une dame mince. __________

Exercice 13. **Regardez, écoutez et lisez. Relisez les phrases et inscrivez sur la ligne le numéro exact de l'image.**

1. L'agent achète un café. __________
2. Le pompier achète une pomme. __________
3. La dame achète une robe. __________
4. Le docteur achète une chemise. __________
5. Le monsieur achète une veste. __________
6. La fille achète une glace. __________

Exercice 14. Regardez, écoutez et lisez. Relisez les mots et inscrivez sur la ligne le numéro exact de l'image.

1. Un garçon mince __________
2. Une grosse dame __________
3. Un gros agent __________
4. Un gros pompier __________
5. Une grosse banane __________
6. Une grosse fille __________
7. Un gros poisson __________
8. Un gros pain __________

Exercice 15. Regardez, écoutez et lisez. Relisez les mots et inscrivez sur la ligne le numéro exact de l'image.

1. Une dame mince __________
2. Un pilote mince __________
3. Un gros chien __________
4. Un gros vendeur __________
5. Un gros garçon __________
6. Un gros pilote __________

Exercice 16. Complétez. Inscrivez le mot exact.

il	un autre
achète	conduit
sort	encore une

1. La dame ________________ la voiture.
2. Le monsieur a faim. «Garçon, ________________ tasse de café, s'il-vous-plaît.»
3. Un garçon ________________ du pain.
4. ________________ voit les pompiers.
5. Le chien ________________ de la voiture.

Exercice 17. Complétez. Inscrivez le mot exact.

tout le monde	veste
entre	parfait
sort	apporte

1. ________________ est dans la voiture.
2. La fille ________________ dans la voiture.
3. Le vendeur ________________ le pantalon.
4. La ________________ est sur la chaise.
5. La dame ________________ de l'autobus.

Leçon 7

Révision 1. Regardez, écoutez et lisez.

1. L'avion décolle. Un pilote pilote l'avion.
2. Un bébé est dans l'avion.
3. Le bébé pleure.
4. Le bébé est malade. La maman met un thermomètre dans la bouche du bébé.
5. Le bébé a de la fièvre.
6. Le bébé pleure encore.
7. La maman embrasse l'oreille du bébé.
8. Elle embrasse la main et la poitrine du bébé.
9. Le médicament est sur la table, dans un flacon.

Révision 2. Regardez, écoutez et lisez.

1. La nourriture du monsieur mince est sur la table.

2. Il a faim. Il mange de la viande et une pomme de terre.

3. Le gros monsieur mange des spaghetti.

4. Le gros monsieur est malade.

5. Le docteur met le médicament sur la table.

6. Ensuite, le docteur rit.

Révision 3. Regardez, écoutez et lisez.

1. Les souliers du bébé sont sous la table.

2. La chemise du bébé est sur le lit.

3. Le bébé est dans le lit.

Expansion 1. Regardez, écoutez et lisez.

1. La bouche du monsieur
2. La bouche de la dame
3. La bouche du garçon
4. La bouche de la fille
5. La gueule du chien
6. La gueule du poisson
7. Le monsieur a une bouche.
8. La dame a une bouche.
9. Le chien a une gueule.
10. Le poisson a une gueule.

Expansion 2. Regardez, écoutez et lisez.

1. La viande est un aliment.
2. Une pomme de terre est un aliment.
3. Le pain est un aliment.
4. Le garçon apporte la nourriture.
5. Il met la nourriture sur la table.
6. Le monsieur mange.

Expansion 3. Regardez, écoutez et lisez.

1. Les aliments sont sur la table.

2. Le garçon apporte la nourriture.

3. Il met la nourriture sur la table.

4. Le gros monsieur a faim.

5. Le gros monsieur mange, mange et mange.

6. Le gros monsieur est malade. Le docteur met le médicament sur la table.

Exercice 1. **Regardez, écoutez et lisez. Relisez les phrases et inscrivez sur la ligne le numéro exact de l'image.**

1. Le pilote entre dans l'avion. __________
2. L'avion décolle. __________
3. Le pilote pilote l'avion. __________
4. Une dame mange de la viande et des pommes de terre. __________
5. Un chien est dans l'avion. Tout le monde rit. __________

Exercice 2. Regardez, écoutez et lisez. Relisez les phrases et inscrivez sur la ligne le numéro exact de l'image.

1. Le bébé boit un verre d'eau. _________
2. Les souliers du bébé sont sous la table. _________
3. Le médicament du bébé et un thermomètre sont sur la table. _________
4. Elle pleure. Elle est malade. _________
5. Le thermomètre est dans la main de la maman. _________
6. Elle met le thermomètre dans la bouche du bébé. _________
7. Le bébé a de la fièvre. _________
8. La maman embrasse la poitrine du bébé. _________
9. La maman embrasse l'oreille du bébé. _________

Exercice 3. Regardez, écoutez et lisez. Relisez les phrases et inscrivez sur la ligne le numéro exact de l'image.

1. Le monsieur mange un œuf. __________
2. Le monsieur mange encore un œuf. __________
3. La dame mange une banane. __________
4. La dame mange encore une banane. __________
5. Le garçon met une tasse de café sur la table. __________
6. Le garçon met encore une tasse de café sur la table. __________
7. Le pilote voit un incendie. __________
8. Le pilote voit encore un incendie. __________
9. Tout le monde mange une pomme. __________
10. Tout le monde mange encore une pomme. __________
11. Une voiture est sur l'autobus. __________
12. Encore une voiture est sur l'autobus. __________

Exercice 4. Regardez, écoutez et lisez. Relisez les phrases et inscrivez sur la ligne le numéro exact de l'image.

1. Le médicament est dans le flacon. __________
2. Le médicament est dans la cuillère. __________
3. Le médicament est dans la bouche du bébé. __________

Exercice 5. Regardez, écoutez et lisez. Relisez les phrases et inscrivez sur la ligne le numéro exact de l'image.

1. Le gros monsieur a faim. Il mange des spaghetti. __________
2. Un autre gros monsieur a faim. Il mange une pomme de terre. __________
3. La dame mince a faim. Elle mange du poisson. __________
4. Le petit garçon a faim. Il mange du pain. __________
5. La grosse dame a faim. Elle mange de la viande. __________
6. Le pompier a faim. Il mange un œuf. __________
7. Le petit docteur a faim. Il mange une grosse banane. __________
8. Le vendeur a faim. Il mange du poisson. __________
9. Le gros garçon mange une glace. __________

Exercice 6. Regardez, écoutez et lisez. Relisez les phrases et inscrivez sur la ligne le numéro exact de l'image.

1. La chemise est sur le lit. __________
2. Il met la chemise. __________
3. Le pantalon et la veste sont sur la chaise. __________
4. Il met la veste. __________
5. Il embrasse la dame. __________
6. «Au revoir.» __________

Exercice 7. Regardez, écoutez et lisez. Relisez les mots et inscrivez sur la ligne le numéro exact de l'image.

1. La pomme de terre __________
2. Les pommes de terre __________
3. Le soulier __________
4. Les souliers __________
5. Le pompier __________
6. Les pompiers __________

Exercice 8. Regardez, écoutez et lisez. Relisez les phrases et inscrivez sur la ligne le numéro exact de l'image.

1. Le gros monsieur a faim. Le garçon apporte la carte. _________
2. Il met la carte sur la table. _________
3. «Garçon, de la viande et des pommes de terre, s'il-vous-plaît !» _________
4. Le gros monsieur a encore faim. «Plus de viande et de pommes de terre !»_________
5. Le garçon apporte plus de viande et une pomme de terre. Il rit. _________
6. Le gros monsieur est malade. _________
7. «Un médicament, s'il-vous-plaît.» _________
8. Le garçon apporte un médicament. _________
9. Le garçon met le médicament dans la bouche du gros monsieur. Tout le monde rit. _________

Exercice 9. **Regardez, écoutez et lisez. Relisez les phrases et inscrivez sur la ligne le numéro exact de l'image.**

1. La chemise est sur la table. __________
2. Les aliments sont sur la table. __________

Exercice 10. **Regardez, écoutez et lisez. Relisez les phrases et inscrivez sur la ligne le numéro exact de l'image.**

1. Le bébé pleure. __________
2. La maman met le thermomètre dans la bouche du bébé. __________
3. Le bébé a de la fièvre. __________
4. La maman met le médicament dans la bouche du bébé. __________
5. Elle embrasse la main du bébé. __________
6. Le bébé rit. __________

Exercice 11. Regardez, écoutez et lisez. Relisez les phrases et inscrivez sur la ligne le numéro exact de l'image.

1. Le pompier a faim. _________
2. Le garçon a une banane. _________
3. Le bébé a de la fièvre. _________
4. Le monsieur a une voiture. _________
5. La fille a une pomme. _________
6. Le pilote a un avion. _________

Exercice 12. Regardez, écoutez et lisez. Relisez les phrases et inscrivez sur la ligne le numéro exact de l'image.

1. La maman enlève la chemise du bébé. _________
2. Elle met une autre chemise au bébé. _________
3. La maman met les souliers au bébé. _________
4. Le monsieur enlève la veste. _________
5. Le vendeur apporte une autre veste au monsieur. _________
6. Le monsieur met une autre veste. _________

Exercice 13. Regardez, écoutez et lisez. Relisez les phrases et inscrivez sur la ligne le numéro exact de l'image.

1. Le bébé pleure. __________
2. La maman embrasse la main du bébé. Le bébé pleure encore. __________
3. La maman embrasse l'oreille du bébé. Le bébé pleure encore. __________
4. La maman embrasse la poitrine du bébé. __________
5. Le bébé rit. __________
6. Ensuite la maman rit. __________

Exercice 14. Regardez, écoutez et lisez. Relisez les mots et inscrivez sur la ligne le numéro exact de l'image.

1. La main du docteur __________
2. La bouche du bébé __________
3. La bouche de la maman __________
4. L'oreille du bébé __________
5. La poitrine du garçon __________
6. La poitrine du bébé __________
7. La poitrine du gros monsieur __________
8. La poitrine du monsieur mince __________
9. La bouche de l'agent __________

Exercice 15. **Regardez, écoutez et lisez. Relisez les phrases et inscrivez sur la ligne le numéro exact de l'image.**

1. L'agent a de la fièvre. __________
2. Le garçon a de la fièvre. __________
3. Le monsieur mince a de la fièvre. __________
4. Le gros monsieur a de la fièvre. __________
5. La dame a de la fièvre. __________
6. Tout le monde a de la fièvre. __________

Exercice 16. **Complétez. Inscrivez le mot exact.**

aliments	voit
bouche	décolle
au lit	sur

1. Le bébé ________________ le chien.
2. Le thermomètre est ________________ la table.
3. Une banane, une pomme, une pomme de terre et de la viande sont des ________________.
4. Le bébé est malade. Il est ________________
5. L'avion ________________.

Leçon 8

Révision 1. Regardez, écoutez et lisez.

1. Papa regarde sous le lit. Il voit le chien. Le chien dort sous le lit.
2. Le chien court dans une autre pièce.
3. Maman voit le chien.
4. «Où est le chien ?»

   «Voici le chien. Il est sous la table.»
5. Le chien se cogne contre le bébé.
6. Maman prend le bébé et papa prend le chien.

Révision 2. Regardez, écoutez et lisez.

1. La dame est dans un magasin de confection. La vendeuse apporte un chapeau.
2. La dame met le chapeau. Le chapeau est parfait.
3. Elle enlève le chapeau.
4. Elle achète le chapeau.

Révision 3. Regardez, écoutez et lisez.

1. Papa ouvre la porte.
2. Papa est dans un magasin d'alimentation. Il achète du lait et du pain.
3. Papa conduit la voiture à la maison.
4. Papa est à la maison.
5. Papa ouvre la porte.
6. Papa a soif. Il boit du lait.
7. Maman a faim. Elle met le beurre sur la table.

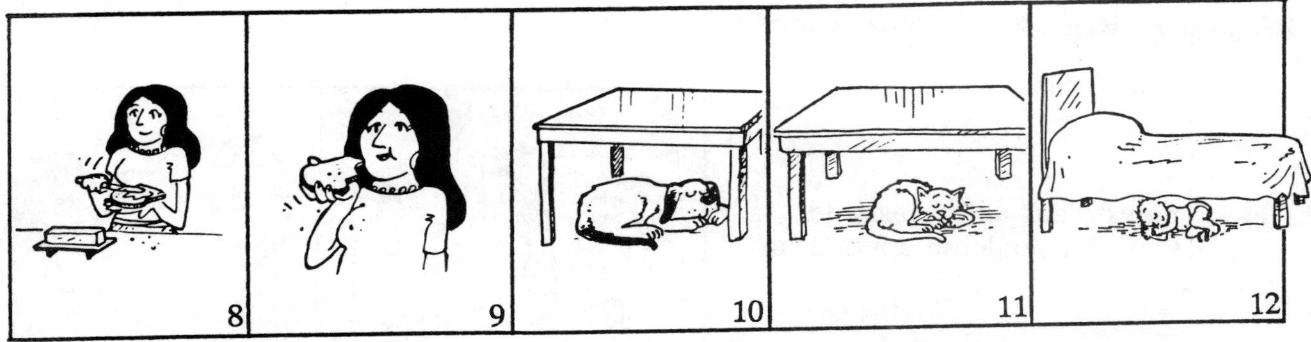

8. Elle tartine le beurre sur le pain.
9. Elle mange le pain.
10. Le chien dort sous la table.
11. Le chat dort sous la table.
12. Le bébé dort sous le lit.

Révision 4. Regardez, écoutez et lisez.

1. Il mange du pain.
2. Elle mange du pain.
3. Il conduit une voiture.
4. Elle conduit une voiture.
5. Il pilote un avion.
6. Elle pilote un avion.
7. Elle achète une robe.
8. Il achète un pantalon.
9. Voici la maman. Voici le papa.

Révision 5. Regardez, écoutez et lisez.

1. Il a soif. Il boit de l'eau.
2. Il a encore soif. Il boit un autre verre d'eau.
3. Il a faim. Il mange une banane.

4. Elle a soif. Elle boit du lait.
5. Il a faim. Il mange une pomme.
6. Il a encore faim. Il mange du poisson et un œuf.

Révision 6. Regardez, écoutez et lisez.

1. Le monsieur est malade.
2. La dame met le thermomètre dans la bouche du monsieur.
3. La dame a un médicament dans un flacon.
4. La dame met le médicament dans la bouche du monsieur.

Expansion 1. Regardez, écoutez et lisez.

1. La bouche du papa
2. La bouche de la maman
3. La bouche du bébé
4. La gueule du chien
5. La bouche du docteur
6. La gueule du poisson

Expansion 2. Regardez, écoutez et lisez.

1. Le bébé se cogne contre le chien.
2. Le bébé pleure.
3. La maman prend le bébé.
4. Elle court vers la table.
5. Elle prend les chapeaux.
6. Elle met les chapeaux sur la table.

   Le chat est sous la table.

Exercice 1. **Regardez, écoutez et lisez. Relisez les phrases et inscrivez sur la ligne le numéro exact de l'image.**

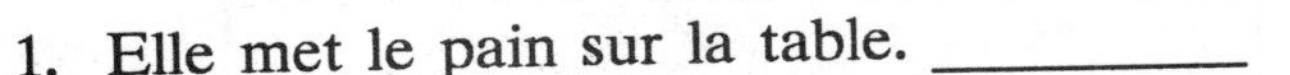

1. Elle met le pain sur la table. __________
2. Elle tartine du beurre sur le pain. __________
3. Elle mange le pain. __________

Exercice 2. **Regardez, écoutez et lisez. Relisez les phrases et inscrivez sur la ligne le numéro exact de l'image.**

1. La dame est dans un magasin de confection. __________
2. La vendeuse apporte un chapeau. __________
3. Ensuite, la dame met le chapeau. __________
4. Le chapeau est trop grand. __________
5. Elle enlève le chapeau. __________
6. La vendeuse apporte une robe. __________
7. La robe est trop petite. __________
8. Ensuite, la vendeuse apporte une autre robe. __________
9. La robe est parfaite. __________

Exercice 3. **Regardez, écoutez et lisez. Relisez les phrases et inscrivez sur la ligne le numéro exact de l'image.**

1. Elle se cogne contre une table. __________
2. Elle prend les chapeaux. __________
3. Ensuite, elle met les chapeaux sur la table. __________

Exercice 4. **Regardez, écoutez et lisez. Relisez les phrases et inscrivez sur la ligne le numéro exact de l'image.**

1. Le gros monsieur a faim. Un garçon apporte le pain. __________
2. Un autre garçon tartine le beurre sur le pain. __________
3. Le gros monsieur mange du pain, de la viande, une pomme de terre, une glace et du poisson. Une tasse de café est sur la table. __________
4. Le gros monsieur voit le garçon. __________
5. Le garçon voit le gros monsieur. __________
6. Le monsieur regarde le garçon. «Plus de viande et de pain et une autre tasse de café, s'il-vous-plaît.» __________

Exercice 5. Regardez, écoutez et lisez. Relisez le paragraphe et inscrivez sur la ligne la lettre correcte.

Papa et maman mangent. Le bébé dort sous la table. Le chien est sur la chaise. Une cuillère est dans la gueule du chien. Un couteau est dans le verre. Le verre est sur l'assiette.

1. Où est le verre ? _________	A. Sous la table
2. Où est le chien ? _________	B. Sur la table
3. Où est le bébé ? _________	C. Sur l'assiette
4. Où sont le pain et le beurre ? _________	D. Sur la chaise

Exercice 6. Regardez, écoutez et lisez. Relisez les phrases et inscrivez sur la ligne le numéro exact de l'image.

1. Le bébé est au lit.
   Il dort. _________
2. Le chien est sur la chaise.
   Il dort. _________
3. Maman est au lit.
   Elle dort. _________
4. Papa est au lit. Il dort. _________
5. Le chat est sur la table.
   Il dort. _________
6. Tout le monde dort. _________

Exercice 7. Regardez, écoutez et lisez. Relisez les mots et inscrivez sur la ligne le numéro exact de l'image.

1. La robe ________
2. Le pompier ________
3. Les robes ________
4. Les souliers ________
5. Les pommes de terre ________
6. Le soulier ________
7. La pomme de terre ________
8. Les pompiers ________

Exercice 8. Regardez, écoutez et lisez. Relisez les phrases et inscrivez sur la ligne le numéro exact de l'image.

1. Papa voit un chien dans la pièce. ________
2. Dans une autre pièce, papa voit un chat. ________
3. Dans une autre pièce, papa voit maman. Elle dort. ________
4. Dans une autre pièce, papa voit une chemise, une cravate et une veste. ________
5. Dans une autre pièce, papa regarde sous le lit. ________
6. Il voit le bébé sous le lit. Le bébé mange une banane. ________

Exercice 9. Regardez, écoutez et lisez. Relisez les phrases et inscrivez sur la ligne le numéro exact de l'image.

1. Papa est à la maison. __________
2. Il ouvre la porte. __________
3. Papa embrasse maman. __________
4. Ensuite, il embrasse le bébé. __________
5. Ensuite, il embrasse le chien. __________
6. Ensuite, il embrasse le chat. __________

Exercice 10. Regardez, écoutez et lisez. Relisez les phrases et inscrivez sur la ligne le numéro exact de l'image.

1. «Où est le pain ?»
   «Voici le pain.» Il met le pain sur la table. __________
2. «Où est le beurre ?»
   «Voici le beurre.» Il met le beurre sur la table. __________
3. «Où est le couteau ?»
   «Voici le couteau.» Il met le couteau sur la table. __________

Exercice 11. **Regardez, écoutez et lisez. Relisez les phrases et inscrivez sur la ligne le numéro exact de l'image.**

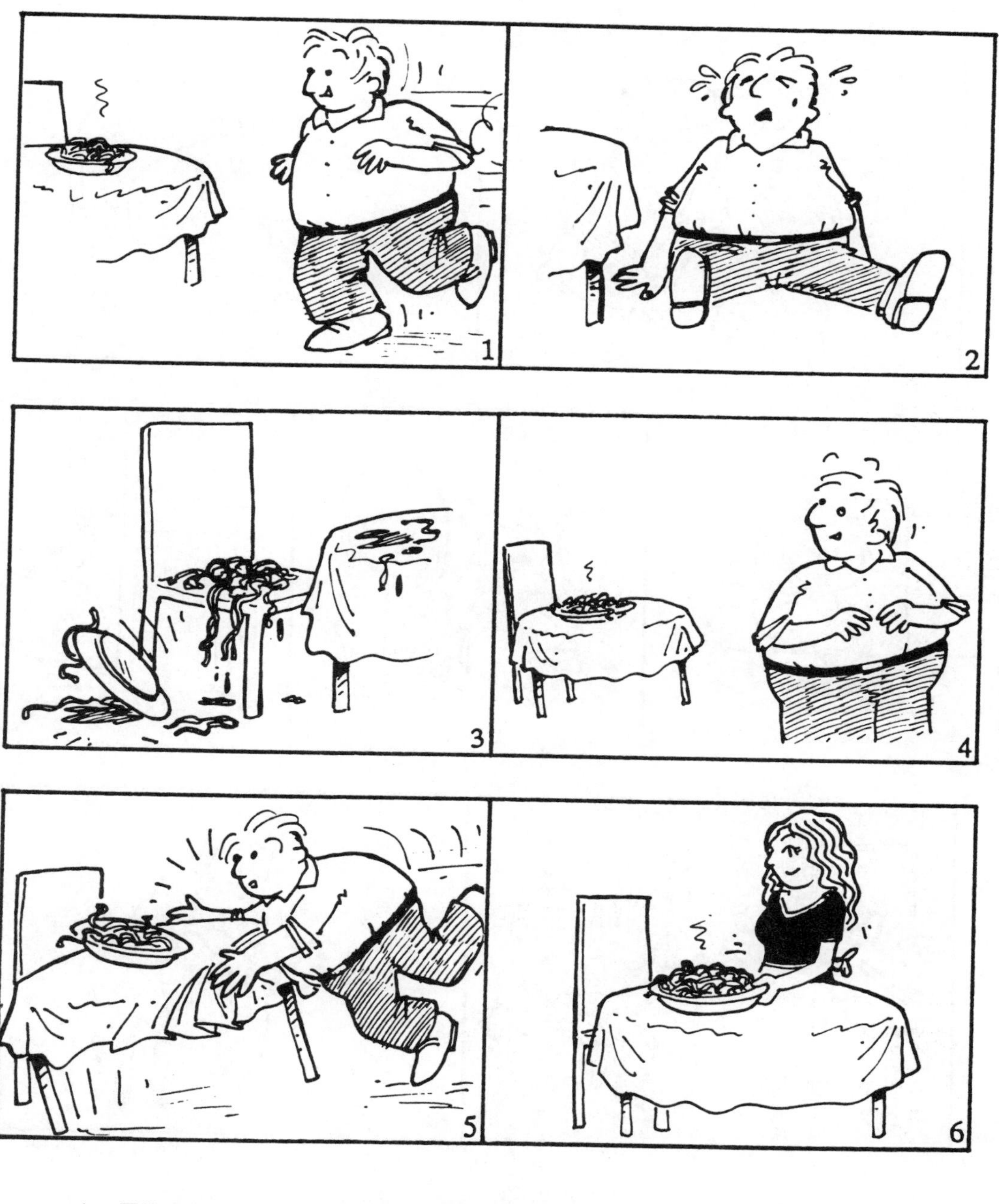

1. Elle met une assiette de spaghetti sur la table. __________
2. Le gros monsieur voit l'assiette de spaghetti sur la table. __________
3. Il court vers la table. __________
4. Il se cogne contre la table. __________
5. Les spaghetti sont sur la chaise. __________
6. Le gros monsieur pleure. __________

Exercice 12. **Regardez, écoutez et lisez. Relisez les phrases et inscrivez sur la ligne le numéro exact de l'image.**

1. Le bébé mange. __________
2. Maman court vers le bébé. __________
3. Le bébé pleure. __________
4. Maman prend le bébé. __________
5. Maman embrasse l'oreille du bébé. __________
6. Maman embrasse la main du bébé. __________
7. Le bébé pleure encore. __________

Exercice 13. **Regardez, écoutez et lisez. Relisez les phrases et inscrivez sur la ligne le numéro exact de l'image.**

1. Le bébé court dans une autre pièce. __________
2. Le bébé court vers la maman. __________
3. Le bébé court vers le papa. __________
4. Le chien court vers le chien. __________
5. Le chat court vers la table. __________
6. Le chien court dans une autre pièce. __________

Exercice 14. Regardez, écoutez et lisez. Relisez les phrases et inscrivez sur la ligne le numéro exact de l'image.

1. Le monsieur mange des spaghetti. __________
2. Le bébé mange des spaghetti. __________
3. La dame boit du lait. __________
4. La fille boit du lait. __________
5. Le monsieur court. __________
6. La dame court. __________

Exercice 15. Regardez, écoutez et lisez. Relisez les phrases et inscrivez sur la ligne le numéro exact de l'image.

1. «Où est le bébé ?» __________
2. Maman regarde sous le lit. __________
3. «Le bébé est sous le lit.» __________
4. «Où est le chien ?» __________
5. Maman regarde sous la table. __________
6. «Le chien est sous la table.» __________

Exercice 16. Complétez. Inscrivez le mot exact.

dort	plus de
met	boit
ouvre	beurre

1. La dame ________________ du lait.
2. La dame ________________ le chapeau.
3. Le monsieur ________________ la porte.
4. Le pain et le ________________ sont sur la table.
5. Papa est au lit. Il ________________.

Révision 1. Regardez, écoutez et lisez.

1. La maman et le bébé sont dans la cuisine. 2. «Mets le crayon à côté du bol. Bien.»

3. Maman coupe du pain. «Mets le pain sur l'assiette.» 4. «Bien. Maintenant mets l'œuf dans le bol.»

5. Le bébé laisse tomber l'œuf. 6. L'œuf est écrasé sur le plancher. 7. «Vilain bébé !»

8. Maman a un torchon. 9. Elle essuie le plancher.

Révision 2. Regardez, écoutez et lisez.

1. Elle donne un autre œuf au bébé. «Maintenant, mets l'œuf dans le grand bol.»

2. Le bébé prend l'œuf. Il jette l'œuf.

3. L'œuf est écrasé sur la fenêtre. La maman a un torchon. Elle essuie la fenêtre.

4. Le bébé veut une glace. «Non, mange l'œuf.»

5. Papa dort.

6. Maman donne une fessée au bébé. Le bébé pleure. Papa dort.

Révision 3. Regardez, écoutez et lisez.

1. Le bébé veut le verre de lait. Le bébé a soif.
2. Papa donne le verre de lait au bébé.
3. Le bébé boit le lait.
4. Le bébé veut le médicament.
5. «Non !»
6. Le bébé pleure.

Révision 4. Regardez, écoutez et lisez.

1. Le bébé laisse tomber l'œuf.
2. L'œuf est écrasé sur le plancher.
3. Maman cherche un torchon.
4. Un torchon est sur la chaise, à côté de la table.
5. «Vilain bébé.» Elle essuie le plancher.
6. Le bébé court dans une autre pièce.
7. Maman regarde sous le lit.
8. Le bébé et le chien sont sous le lit.

Révision 5. Regardez, écoutez et lisez.

1. La maison
2. La porte de la maison
3. La fenêtre de la maison
4. Le plancher de la maison

Révision 6. Regardez, écoutez et lisez.

1. Le bébé jette le flacon sur le plancher.
2. Il prend le flacon.
3. Il jette de nouveau le flacon sur le plancher.

4. Le bébé jette le bol sur le plancher.
5. Il ramasse le bol.
6. Il jette le bol de nouveau sur le plancher. «Vilain bébé !»

Révision 7. Regardez, écoutez et lisez.

1. Une assiette de nourriture est sur la table.
2. Le bébé met l'assiette de nourriture sur le plancher.
3. Maman prend l'assiette de nourriture.

4. Elle met l'assiette de nourriture sur la table.
5. Le bébé met de nouveau l'assiette de nourriture sur le plancher.
6. «Non ! Mets la nourriture sur la table ! Vilain bébé.»

7. Le bébé met la nourriture sous la chaise.
8. La maman regarde sous la chaise. «Vilain bébé !»
9. Le bébé met la nourriture sur la table. «Gentil bébé.»

Révision 8. Regardez, écoutez et lisez.

1. Le gentil bébé mange l'œuf.
2. Le vilain bébé laisse tomber l'œuf.
3. Le gentil bébé mange la banane.
4. Le vilain bébé jette la banane.
5. Le gentil bébé boit le verre de lait.
6. Le vilain bébé donne le lait au chien.

Révision 9. Regardez, écoutez et lisez.

1. Papa est dans la cuisine. La cuisine est une pièce.
2. Papa coupe de la viande.
3. Papa coupe du pain.
4. Papa tartine du beurre sur le pain.
5. Papa coupe une pomme.
6. Papa coupe une banane.
7. Papa coupe un œuf.
8. Papa mange de la viande, du pain, une pomme et une banane.
9. Le bébé jette l'avion.

Révision 10. Regardez, écoutez et lisez.

1. La dame a un crayon.
2. Elle donne le crayon au monsieur.

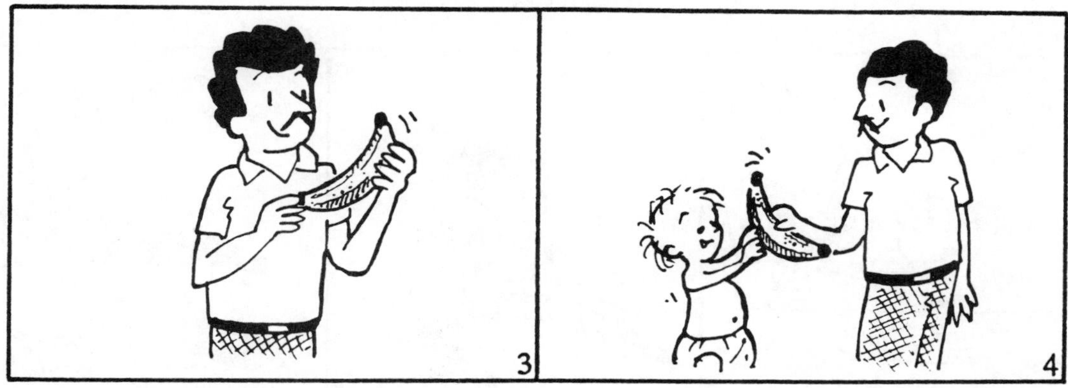

3. Papa a une banane.
4. Il donne la banane au bébé.

5. Le garçon a une carte et une assiette de spaghetti.
6. Il donne la carte à l'agent et l'assiette de spaghetti au gros monsieur.

Révision 11. Regardez, écoutez et lisez.

1. Papa met l'assiette de nourriture sur la table.
2. «Maintenant, mets le couteau à côté de l'assiette.»
3. Le garçon met le couteau à côté de l'assiette.

4. «Maintenant, mets la cuillère à côté du couteau.»
5. Il met la cuillère à côté du couteau.
6. «Maintenant, voici une fourchette.»

7. Il met la fourchette dans l'assiette.
8. «Non ! Mets la fourchette à côté de l'assiette.»
9. Il met la fourchette à côté de l'assiette.

Révision 12. Regardez, écoutez et lisez.

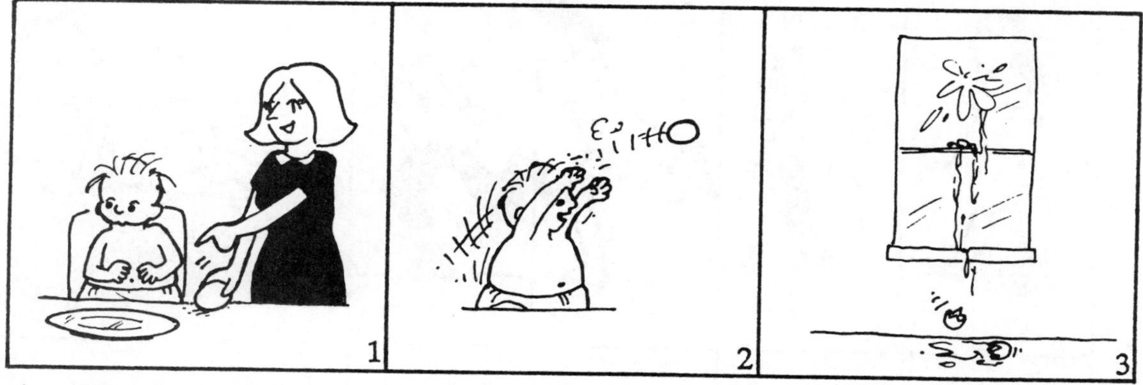

1. «Voici un œuf. Mets l'œuf dans l'assiette.»
2. Le bébé jette l'œuf.
3. L'œuf est écrasé sur la fenêtre.

4. Maman essuie la fenêtre.
5. «Voici un autre œuf. Mets cet œuf dans l'assiette.»
6. Le bébé met l'œuf dans l'assiette.

7. «Gentil bébé !»
8. Ensuite, il laisse tomber l'œuf.
9. L'œuf est écrasé sur le plancher. «Vilain bébé !»

Expansion 1. Regardez, écoutez et lisez.

1. La dame marche. Le monsieur marche.
2. La dame court. Le monsieur court.
3. Le bébé marche à quatre pattes.
4. Le bébé entre dans la cuisine à quatre pattes.
5. Le bébé marche à quatre pattes dans la cuisine.
6. Le bébé rampe sous la table.
7. Le bébé rampe sous le lit.
8. Le garçon rampe sous le lit.
9. Le chat rampe sous le lit.

Expansion 2. Regardez, écoutez et lisez.

1. L'œuf est sur le plancher.
2. L'œuf est écrasé sur le plancher.
3. La pomme est sur le plancher.
4. L'œuf est sur la fenêtre.
5. L'œuf est écrasé sur la fenêtre.
6. La pomme de terre est sur la fenêtre.

Expansion 3. Regardez, écoutez et lisez.

1. Ce pain
2. Cet œuf
3. Cette chaise
4. Ce poisson
5. Cet arbre
6. Cette banane
7. Cet œuf est gros.
8. Cet œuf est petit.

Expansion 4. Regardez, écoutez et lisez.

1. Le bébé prend le flacon.
2. Le bébé jette le flacon sur le plancher.
3. La maman ramasse le flacon.
4. Le garçon prend le crayon.
5. Il laisse tomber le crayon sur le plancher.
6. Il ramasse le crayon.

Exercice 1. **Regardez, écoutez et lisez. Relisez les phrases et inscrivez sur la ligne le numéro exact de l'image.**

1. Le chapeau est sur le chien. _________
2. Le bébé veut le chapeau. _________
3. Il enlève le chapeau du chien. _________
4. Il donne une fessée au chien. _________
5. Il jette le chapeau à un autre bébé. _________
6. Il met le chapeau. _________

Exercice 2. Regardez, écoutez et lisez. Relisez les phrases et inscrivez sur la ligne le numéro exact de l'image.

1. Le bébé mange un œuf. Un verre de lait est à côté de l'œuf. Il est dans la cuisine. __________
2. Il laisse tomber l'œuf. __________
3. Le bébé a un torchon. __________
4. Il essuie le plancher. __________
5. «Gentil bébé !» La maman donne encore un œuf au bébé. __________
6. Ensuite, elle embrasse le bébé. __________

Exercice 3. Regardez, écoutez et lisez. Relisez les phrases et inscrivez sur la ligne le numéro exact de l'image.

1. Il mange le pain. __________
2. Il coupe le pain. __________
3. Il laisse tomber le pain. __________
4. Il jette le pain. __________
5. Il prend le pain. __________
6. Il apporte le pain à la dame. __________
7. Il donne le pain à la dame.__________
8. Il tartine du beurre sur le pain. __________
9. Il met le pain dans une assiette. __________

Exercice 4. Regardez, écoutez et lisez. Relisez le paragraphe et inscrivez sur la ligne la lettre correcte.

La voiture du bébé est sur le plancher. La banane du bébé est à côté de la voiture. La fille a un avion. L'avion est grand. Le bébé veut l'avion de la fille. La main du bébé est sur l'avion de la fille.

1. Où est la voiture du bébé ? __________
2. Où est la banane du bébé ? __________
3. Où est l'avion de la fille ? __________
4. Où est la main du bébé ? __________

A. Sur l'avion de la fille

B. À côté du bébé

C. À côté de la voiture du bébé

D. Sur le plancher, à côté du bébé

Exercice 5. Regardez, écoutez et lisez. Relisez les phrases et inscrivez sur la ligne le numéro exact de l'image.

1. La maman met l'œuf dans l'assiette. __________
2. Le bébé prend l'œuf. __________
3. Il jette l'œuf. __________
4. L'œuf est écrasé sur la fenêtre. __________
5. Maman a un torchon. __________
6. Maman essuie la fenêtre. __________

Exercice 6. Regardez, écoutez et lisez. Relisez les phrases et inscrivez sur la ligne le numéro exact de l'image.

1. Il donne le pain à la dame. __________
2. Elle donne le pain à la dame. __________
3. Elle donne le pain au monsieur. __________
4. Il donne le pain au monsieur. __________
5. Elle donne le pain au monsieur et à la dame. __________
6. Il donne le pain à la dame et au monsieur. __________

Exercice 7. Regardez, écoutez et lisez. Relisez les phrases et inscrivez sur la ligne le numéro exact de l'image.

1. Le bébé marche à quatre pattes sous le lit. __________
2. Le bébé mange une pomme sous le lit. __________
3. «Où est le bébé ?» __________
4. Maman regarde sous le lit. __________
5. Maintenant, le bébé est au lit. __________
6. Maman embrasse la main du bébé. __________

1 2 3

4 5 6

Exercice 8. Regardez, écoutez et lisez. Relisez les phrases et inscrivez sur la ligne le numéro exact de l'image.

1. Le bébé mange un œuf. __________
2. L'œuf est sur la bouche du bébé. __________
3. Maintenant l'œuf est sur l'oreille du bébé. __________
4. Maintenant l'œuf est dans la main du bébé. __________
5. Maintenant l'œuf est sur la poitrine du bébé. __________
6. Maman rit. __________

1 2 3

4 5 6

Exercice 9. Regardez, écoutez et lisez. Relisez les phrases et inscrivez sur la ligne le numéro exact de l'image.

1. Il veut l'avion. __________
2. Papa donne l'avion au garçon. __________
3. Il laisse tomber l'avion. __________
4. Papa ramasse l'avion. __________
5. Le garçon pleure. __________
6. Papa achète un autre avion au garçon. __________

Exercice 10. Regardez, écoutez et lisez. Relisez les phrases et inscrivez sur la ligne le numéro exact de l'image.

1. Elle veut une glace. __________
2. Maman donne une glace à la fille. __________
3. Elle laisse tomber la glace. __________
4. Maman ramasse la glace. __________
5. Elle jette la glace. __________
6. Elle achète une autre glace à la fille. __________

Exercice 11. Regardez, écoutez et lisez. Relisez les phrases et inscrivez sur la ligne le numéro exact de l'image.

1. Le bébé met le torchon sous la chaise. __________
2. «Voici un œuf.» __________
3. Le bébé laisse tomber l'œuf. __________
4. Maman cherche le torchon. __________
5. Elle regarde sous la table. __________
6. Elle voit le torchon sous la chaise. __________

Exercice 12. Regardez, écoutez et lisez. Relisez les phrases et inscrivez sur la ligne le numéro exact de l'image.

1. La fenêtre de la maison est grande. __________
2. La fenêtre de la maison est petite. __________
3. La porte de la maison est grande. __________
4. La cuisine est petite. __________
5. La cuisine est grande. __________
6. Les chapeaux sont sur le plancher. __________

Exercice 13. **Regardez, écoutez et lisez. Relisez les phrases et inscrivez sur la ligne le numéro exact de l'image.**

1. Le chapeau du monsieur est grand. __________
2. Le chapeau de la dame est petit. __________
3. Les chapeaux sont grands. __________
4. Les chapeaux sont petits. __________
5. La tasse du monsieur est grande. __________
6. La tasse de la dame est petite. __________
7. Les tasses sont grandes. __________
8. Les tasses sont petites. __________
9. Les tasses sont sur la table. __________

Exercice 14. Regardez, écoutez et lisez. Relisez les phrases et inscrivez sur la ligne le numéro exact de l'image.

1. Tout le monde mange des spaghetti. _________
2. «Au feu ! Au feu !» Tout le monde voit l'incendie. _________
3. Le gros monsieur mange encore. Il mange des spaghetti. _________
4. Le garçon court à la porte. _________
5. Le gros monsieur mange encore. Il mange de la viande. _________
6. La dame court à la porte. _________
7. Le gros monsieur mange encore. Il mange un œuf. _________
8. Le pilote court à la porte. _________
9. Le gros monsieur mange encore. Il mange une banane. _________

Exercice 15. Regardez, écoutez et lisez. Relisez les phrases et inscrivez sur la ligne le numéro exact de l'image.

1. Le bébé laisse tomber l'assiette de viande sur le plancher. __________
2. Le garçon ramasse l'assiette de viande. __________
3. «Vilain bébé !» Il met l'assiette de viande sur la table. __________
4. Le bébé rit. __________
5. Papa donne une fessée au bébé. __________
6. Maintenant, le bébé pleure et le garçon rit. __________

Exercice 16. Regardez, écoutez et lisez. Relisez les phrases et inscrivez sur la ligne le numéro exact de l'image.

1. Le monsieur essuie la table. __________
2. Le monsieur coupe le pain. __________
3. Il tartine du beurre sur le pain. __________
4. Il mange un œuf. __________
5. Maintenant, il boit une tasse de café. __________
6. Il laisse tomber la tasse de café sur la robe de la dame. __________

Exercice 17. **Regardez, écoutez et lisez. Relisez les phrases et inscrivez sur la ligne le numéro exact de l'image.**

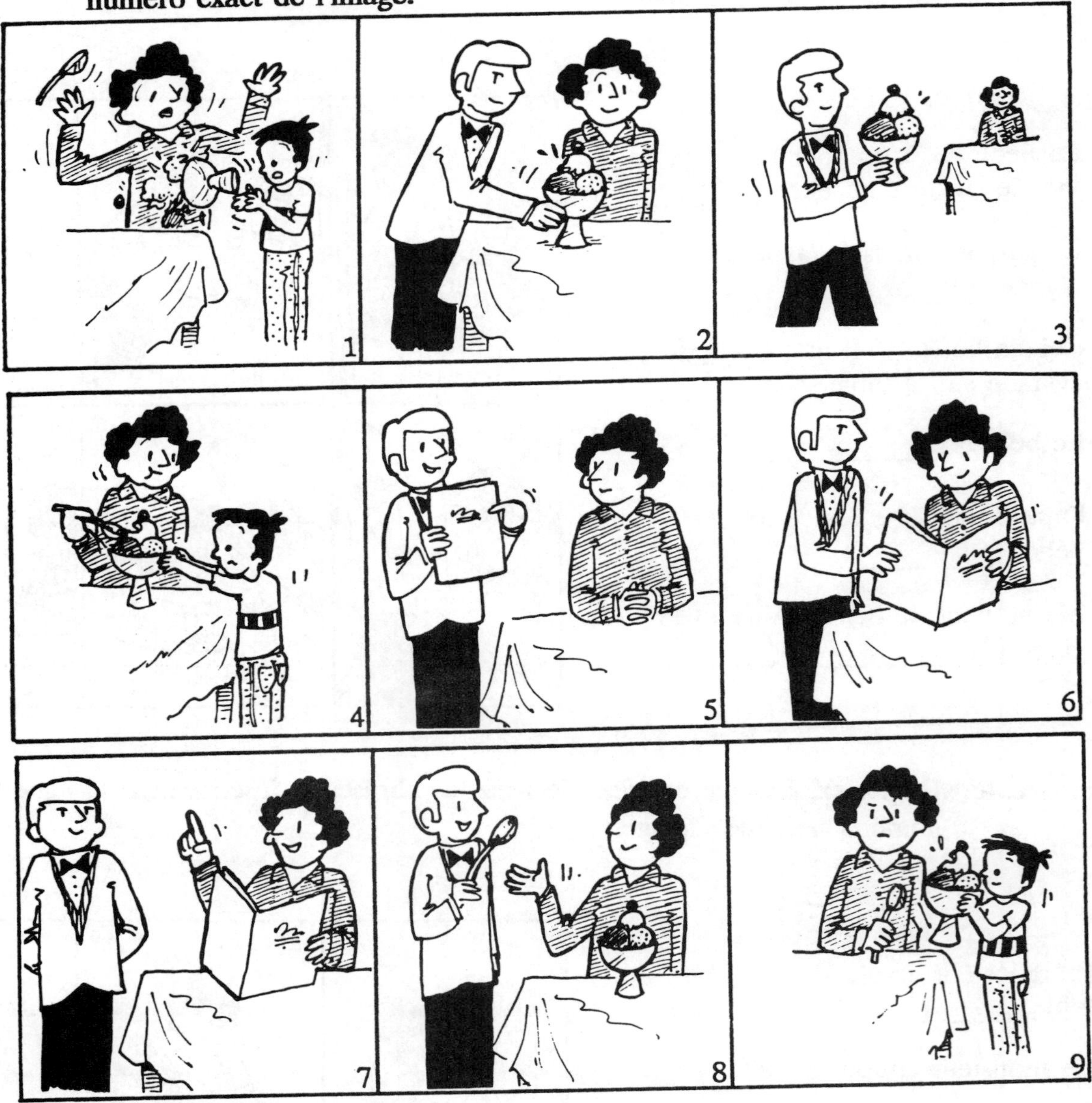

1. «Voici la carte.» __________
2. Le garçon donne la carte au monsieur. __________
3. «Une glace, s'il-vous-plaît.» __________
4. Le garçon apporte une glace à la table du monsieur. __________
5. Il met la glace sur la table du monsieur. __________
6. «Voici une cuillère.» __________
7. Le garçon veut la glace du monsieur. __________
8. Il prend la glace. __________
9. Ensuite, il laisse tomber la glace sur la chemise du monsieur. __________

Exercice 18. Regardez, écoutez et lisez. Relisez les phrases et inscrivez sur la ligne le numéro exact de l'image.

1. Le garçon et la fille voient une petite maison. __________
2. La maison est sous un petit arbre. __________
3. Le petit arbre est sous un grand arbre. __________
4. Le grand arbre est sous la main du monsieur. __________

Exercice 19. Regardez, écoutez et lisez. Relisez les phrases et inscrivez sur la ligne le numéro exact de l'image.

1. Le bébé voit la voiture. __________
2. La voiture est dans la rue. __________
3. Le bébé entre dans la voiture. __________
4. L'agent de police dort. __________
5. Le bébé conduit la voiture. __________
6. Maintenant, l'agent conduit la voiture. __________

Exercice 20. **Regardez, écoutez et lisez. Relisez les phrases et inscrivez sur la ligne le numéro exact de l'image.**

1. «Mets cette cuillère dans le bol et donne la grande cuillère à papa.» __________
2. Le bébé donne la grande cuillère à papa et met la petite cuillère dans le bol. __________
3. Papa mange un grand bol de glace. __________
4. Le bébé mange un petit bol de glace. __________
5. Maintenant, le bébé veut le bol de glace de papa. __________
6. «Non ! Voici un verre de lait.» __________
7. Le bébé laisse tomber le verre de lait sur le plancher. __________
8. «Vilain bébé !» Papa mange encore de la glace. __________
9. Papa a un torchon. __________
10. Maintenant, il essuie le plancher. __________

Exercice 21. Regardez, écoutez et lisez. Relisez les phrases et inscrivez sur la ligne le numéro exact de l'image.

1. «Mets cet œuf dans le bol.» __________
2. Le bébé laisse tomber l'œuf sur le plancher. __________
3. L'œuf est écrasé sur le plancher. «Vilain bébé !» __________
4. Maman a un torchon. __________
5. Maintenant, elle essuie le plancher. __________
6. Maman donne une banane au bébé. «Mange cette banane !» __________
7. Le bébé jette la banane sur le plancher. __________
8. Maintenant, la banane est écrasée sur le plancher. «Vilain bébé !» __________
9. Maman essuie le plancher. __________

Exercice 22. Complétez. Inscrivez le mot exact.

pièce	aliment
dame	vêtements
magasin	monsieur

1. Une cuisine est une ________________
2. Une vendeuse est une ________________
3. Un vendeur est un ________________
4. Une glace est un ________________
5. Une chemise, une cravate et une robe sont des ________________

Leçon 10

Révision 1. Regardez, écoutez et lisez.

1. L'aéroport
2. L'avion
3. Le billet

4. Le pilote
5. L'hôtesse de l'air
6. Le passager

7. Les passagers
8. Le billet est par terre.
9. Le hublot

10. Le hublot

Révision 2. Regardez, écoutez et lisez.

1. «L'aéroport.»

2. La dame a un billet. Elle donne le billet au monsieur.

3. La dame s'assied. Le vieux monsieur s'assied.

4. Le pilote est dans l'avion. L'avion décolle.

5. Le pilote pilote l'avion.

6. La vieille dame est un passager. Le vieux monsieur est un passager. La dame boit du café et le vieux monsieur dort.

7. L'hôtesse sert des spaghetti au gros monsieur.

8. L'hôtesse sert une glace et du gâteau à un garçon. La glace et le gâteau sont sur un plateau. La glace est un dessert. Le gâteau est un dessert.

9. La dame renverse du café sur le vieux monsieur. Elle est embarrassée.

Révision 3. Regardez, écoutez et lisez.

1. Le garçon a un singe. Le singe a une banane dans la main.

2. La fille est à côté du garçon. L'hôtesse sert de la viande et des pommes de terre à la fille.

3. L'hôtesse laisse tomber le plateau.

4. L'hôtesse est embarrassée.

5. Le vieux monsieur se retourne.

6. Il regarde la fille.

Révision 4. Regardez, écoutez et lisez.

1. «Du café ?»

   «Oui, s'il-vous-plaît.»

2. La vieille dame boit du café et regarde un nuage.
   Le soleil est sous le nuage.

3. «Du café ou du lait ?»

   «Du lait, s'il-vous-plaît.»

4. L'hôtesse sert un verre de lait au monsieur.

5. La dame veut plus de café.

6. «Plus de café ?»

   «Oui, s'il-vous-plaît.» L'hôtesse sert de nouveau du café à la dame.

Révision 5. Regardez, écoutez et lisez.

1. «Plus de spaghetti ?» «Non, plus de spaghetti.» Le gros monsieur est malade.

2. «Docteur, par ici, s'il-vous-plaît.»

3. Le docteur met la main sur l'estomac du gros monsieur. Il donne un médicament dans un flacon au gros monsieur.

4. Un autre passager mange des spaghetti.

5. Il laisse tomber son livre par terre.

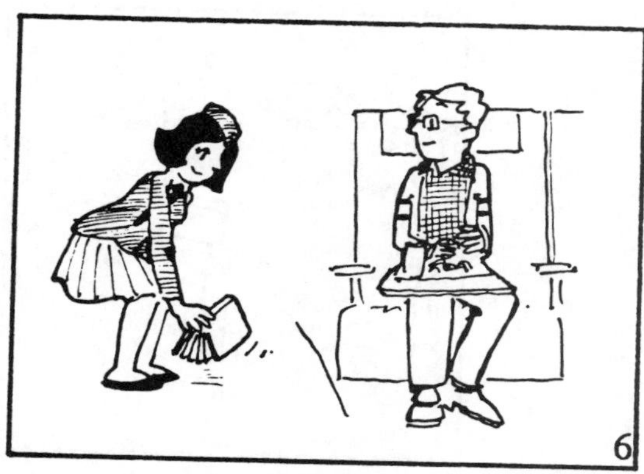

6. L'hôtesse ramasse son livre.

7. Il y a un bébé dans l'avion.

8. Le bébé marche à quatre pattes vers sa maman.

9. Elle prend le bébé.

Expansion 1. Regardez, écoutez et lisez.

1. Un monsieur ou une dame
2. Un monsieur et une dame
3. Une table ou une chaise

4. La tasse et le verre sont sur la table.
5. Le garçon veut la tasse ou le verre.
6. La dame donne le verre au garçon.

7. La tasse et le verre sont sur la table.
8. La fille veut la tasse et le verre.
9. Il donne la tasse et le verre à la fille.

Expansion 2. Regardez, écoutez et lisez.

1. La fenêtre de la maison

2. Le hublot

3. Le hublot de l'avion

4. Le livre est sur le plancher.

5. Le livre est par terre.

6. Le bébé est par terre.

   Le bébé est sur le plancher.

Expansion 3. Regardez, écoutez et lisez.

1. Le garçon a un chien. Son chien est sur la table.
2. Le garçon a des souliers. Ses souliers sont grands.
3. La maman du garçon boit du lait. Sa maman boit un verre de lait.
4. Le papa du garçon a de la fièvre. Son papa est malade.
5. La veste du garçon est grande. Sa veste est trop grande.
6. Le pantalon du garçon est grand. Son pantalon est trop grand.
7. Le chat du garçon dort sous la table. Son petit chat dort sous la table.
8. Le monsieur a un couteau. Son couteau est grand. Il coupe la viande.
9. Le bébé a une cuillère. Sa cuillère est grande. Il mange une glace.

Expansion 4. Regardez, écoutez et lisez.

1. Un gâteau est un dessert.
2. Une glace est un dessert.
3. Le garçon sert un dessert à la dame. Le dessert est du gâteau et une glace.

Expansion 5. Regardez, écoutez et lisez.

1. Le monsieur boit une tasse de café.
2. Il laisse tomber sa tasse.
3. Il renverse son café sur la table.
4. Le monsieur a une serviette.
5. Il essuie la table.
6. Le garçon jette son verre.
7. Sa mère voit le verre sur le plancher.
8. Le garçon ramasse le verre.
9. Il essuie le plancher.

Expansion 6. Regardez, écoutez et lisez.

1. Il est assis sur une chaise.
2. Elle est assise sur le lit.
3. Il est assis dans la voiture.
4. Elle est assise dans l'avion.
5. Le garçon et la fille sont assis dans l'autobus.
6. Le bébé est assis sur le chien.

Expansion 7. Regardez, écoutez et lisez.

1. La dame regarde par la fenêtre. Elle voit un singe, un chien et un chat.

2. Le monsieur regarde sous la table. Il voit un chat. Le chat est assis sur un chien.

3. La dame regarde le monsieur. Ses oreilles sont grandes.

4. L'hôtesse regarde le singe. Il a une grande banane dans la gueule.

5. Le pilote regarde par la fenêtre. Il voit un incendie.

6. La maman du bébé regarde la fenêtre. Elle voit de l'œuf et de la glace sur la fenêtre.

Expansion 8. Regardez, écoutez et lisez.

1. L'assiette de viande est sur le plateau.

2. Le gros garçon laisse tomber le plateau.

3. Une dame se retourne.

4. Elle voit une assiette de viande sur le plancher.

5. Le dessert est sur le plateau.

6. Le garçon mince laisse tomber le plateau.

7. La dame se retourne de nouveau.

8. Elle regarde la glace et le gâteau sur le plancher.

9. Ensuite, elle regarde le garçon mince et le gros garçon. Le garçon mince et le gros garçon pleurent. Les garçons sont embarrassés.

Expansion 9. Regardez, écoutez et lisez.

1. Le singe voit le monsieur.
2. Le singe donne sa banane au monsieur.
3. Le monsieur est embarrassé. Tout le monde rit.

Expansion 10. Regardez, écoutez et lisez.

1. «Voici le singe.»
2. «Où ?»
3. «Il est assis sur la voiture du monsieur.»

Expansion 11. Regardez, écoutez et lisez.

1. «Où est le bébé ?»
2. «Le bébé est ici, sous la table.»
3. Maintenant, le bébé marche à quatre pattes sous le lit.

Expansion 12. Regardez, écoutez et lisez.

1. L'avion décolle.
2. L'hôtesse sert du café à un monsieur.
3. L'avion atterrit.

Expansion 13. Regardez, écoutez et lisez.

1. Il y a un livre sur la table.
2. Il y a une tasse sur la table.
3. Il y a un flacon sous la table.

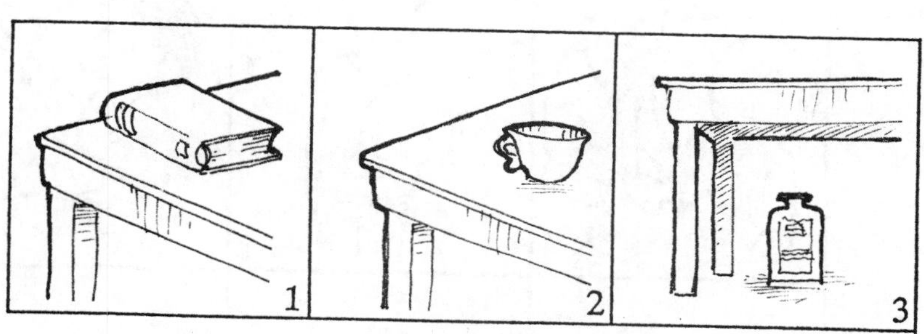

Expansion 14. Regardez, écoutez et lisez.

1. Le bébé veut le médicament.
2. «Pas de médicament !»
3. Le bébé mange les spaghetti.
4. «Plus de spaghetti.»
5. «Non. Plus de spaghetti !»
6. Le bébé mange la glace.
7. «Encore une glace.»
8. «Non. Plus de glace !»

Expansion 15. Regardez, écoutez et lisez.

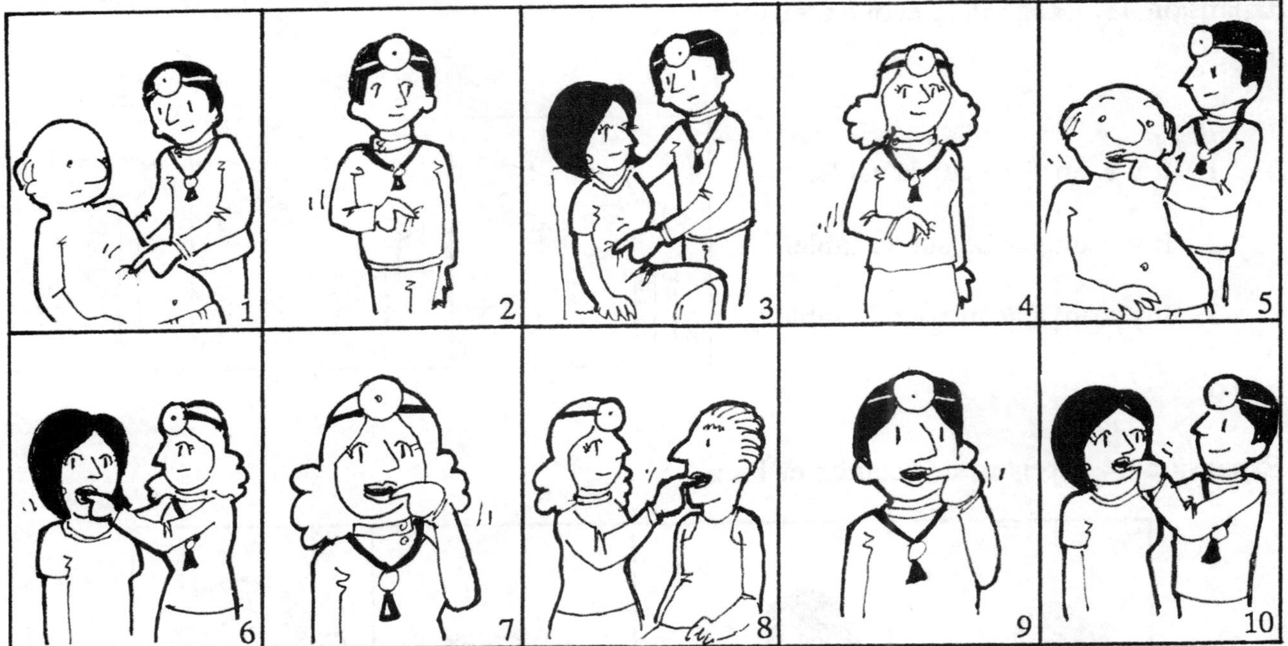

1. Le docteur touche l'estomac du gros monsieur. Il touche son estomac.
2. Le docteur touche son estomac. Il se touche l'estomac.
3. Le docteur touche l'estomac de la dame. Il touche son estomac.
4. Le docteur touche son estomac. Elle se touche l'estomac.
5. Le docteur touche la bouche du gros monsieur. Il touche sa bouche.
6. Le docteur touche la bouche de la dame. Elle touche sa bouche.
7. Le docteur se touche la bouche. Elle se touche la bouche.
8. Elle touche sa bouche.
9. Le docteur se touche la bouche. Il se touche la bouche.
10. Il touche sa bouche.

Expansion 16. Regardez, écoutez et lisez.

1. L'hôtesse a une serviette.
2. Elle essuie le plateau.
3. Maman a un torchon.
4. Elle essuie la fenêtre.

Exercice 1. Regardez, écoutez et lisez. Relisez les mots et inscrivez sur la ligne le numéro exact de l'image.

1. Le billet est par terre. __________
2. Les nuages __________
3. Le nuage __________
4. Le plancher de la cuisine __________
5. Le soleil __________
6. Le plateau de nourriture __________
7. Le gâteau __________
8. Son singe __________
9. Son estomac __________
10. Sa poitrine __________

Exercice 2. Regardez, écoutez et lisez. Relisez les phrases et inscrivez sur la ligne le numéro exact de l'image.

1. Voici son singe. __________
2. Le docteur met la main sur son estomac. __________
3. La maman embrasse sa poitrine. __________
4. Le vendeur regarde sa robe. __________

Exercice 3. Regardez, écoutez et lisez. Relisez les mots et inscrivez sur la ligne le numéro exact de l'image.

1 2 3 4 5
6 7 8 9 10

1. Le dessert __________
2. Le livre __________
3. La serviette __________
4. Le hublot __________
5. Le passager __________
6. Le flacon de médicament __________
7. La banane et le pain __________
8. Le pain et le beurre __________
9. Son billet __________
10. L'hôtesse de l'air __________

Exercice 4. Regardez, écoutez et lisez. Relisez les phrases et inscrivez sur la ligne le numéro exact de l'image.

1. Maman est dans la cuisine. _________
2. Maman a un torchon. Elle essuie la table. _________
3. Elle essuie la fenêtre. _________
4. La maman a une serviette. Elle essuie le bébé. _________
5. L'hôtesse a une serviette. _________
6. Le gros monsieur a une serviette. Il essuie sa bouche. _________

Exercice 5. Regardez, écoutez et lisez. Relisez les phrases et inscrivez sur la ligne le numéro exact de l'image.

1. Le monsieur a faim. Il s'assied. __________
2. Il mange de la viande et boit du café. __________
3. Il se retourne. __________
4. Il voit un singe. Le singe a une banane dans la main. __________
5. Un bébé marche à quatre pattes sous la table. __________
6. Il renverse du café sur sa main. __________
7. Il laisse tomber sa nourriture, sa fourchette, son couteau et sa cuillère sur le plancher. __________
8. Le garçon sert un autre monsieur. __________
9. Ensuite, il laisse tomber le plateau. __________

Exercice 6. Regardez, écoutez et lisez. Relisez les phrases et inscrivez sur la ligne le numéro exact de l'image.

1. Le garçon voit la nourriture sur le plancher. _________
2. Le garçon est embarrassé. _________
3. Le garçon met son plateau sur le plancher. _________
4. Il met la fourchette, le couteau, la cuillère, l'assiette et la nourriture sur le plateau. _________
5. Le garçon apporte un autre plateau. _________
6. Il met le plateau sur la table du monsieur. _________

Exercice 7. Regardez, écoutez et lisez. Relisez les phrases et inscrivez sur la ligne le numéro exact de l'image.

1. Il conduit sa voiture à l'aéroport. __________

2. Il donne son billet à la dame. __________

3. Les passagers sont assis dans l'avion. __________

4. L'avion décolle. __________

5. L'hôtesse sert du café au monsieur. __________

6. L'avion atterrit. __________

Exercice 8. **Regardez, écoutez et lisez. Relisez les phrases et inscrivez sur la ligne le numéro exact de l'image.**

1. Le garçon voit le monsieur et son singe. Le monsieur a faim. Son singe a faim. __________

2. Le garçon donne une carte au monsieur et une carte au singe. __________

3. Des spaghetti et une banane sont sur le plateau. __________

4. Le garçon sert les spaghetti au monsieur et la banane au singe. __________

5. Le garçon arrive à la table du monsieur. __________

6. «Une autre assiette de spaghetti et une autre banane, s'il-vous-plaît.» __________

Exercice 9. Regardez, écoutez et lisez. Relisez les phrases et inscrivez sur la ligne le numéro exact de l'image.

1. Le garçon apporte une autre assiette de spaghetti et une autre banane à la table du monsieur. _________
2. Il met le plateau sur la table du monsieur. _________
3. Ensuite, il sert la banane au monsieur et les spaghetti au singe. _________
4. «Non ! Donnez la banane au singe.»_________
5. Une dame se retourne. _________
6. Elle rit. Le garçon est embarrassé. _________

Exercice 10. **Regardez, écoutez et lisez. Relisez les phrases et inscrivez sur la ligne le numéro exact de l'image.**

1. Le monsieur voit un avion. «Il y a un avion.» __________
2. «Où est l'avion ?» __________
3. «Sous des nuages.» __________

Exercice 11. **Regardez, écoutez et lisez. Relisez les phrases et inscrivez sur la ligne le numéro exact de l'image.**

1. «Où est le dessert ?» __________
2. «Sur la table.» __________
3. Il sert le dessert à sa maman et à son papa. __________

Exercice 12. Regardez, écoutez et lisez. Relisez le paragraphe et répondez aux questions.

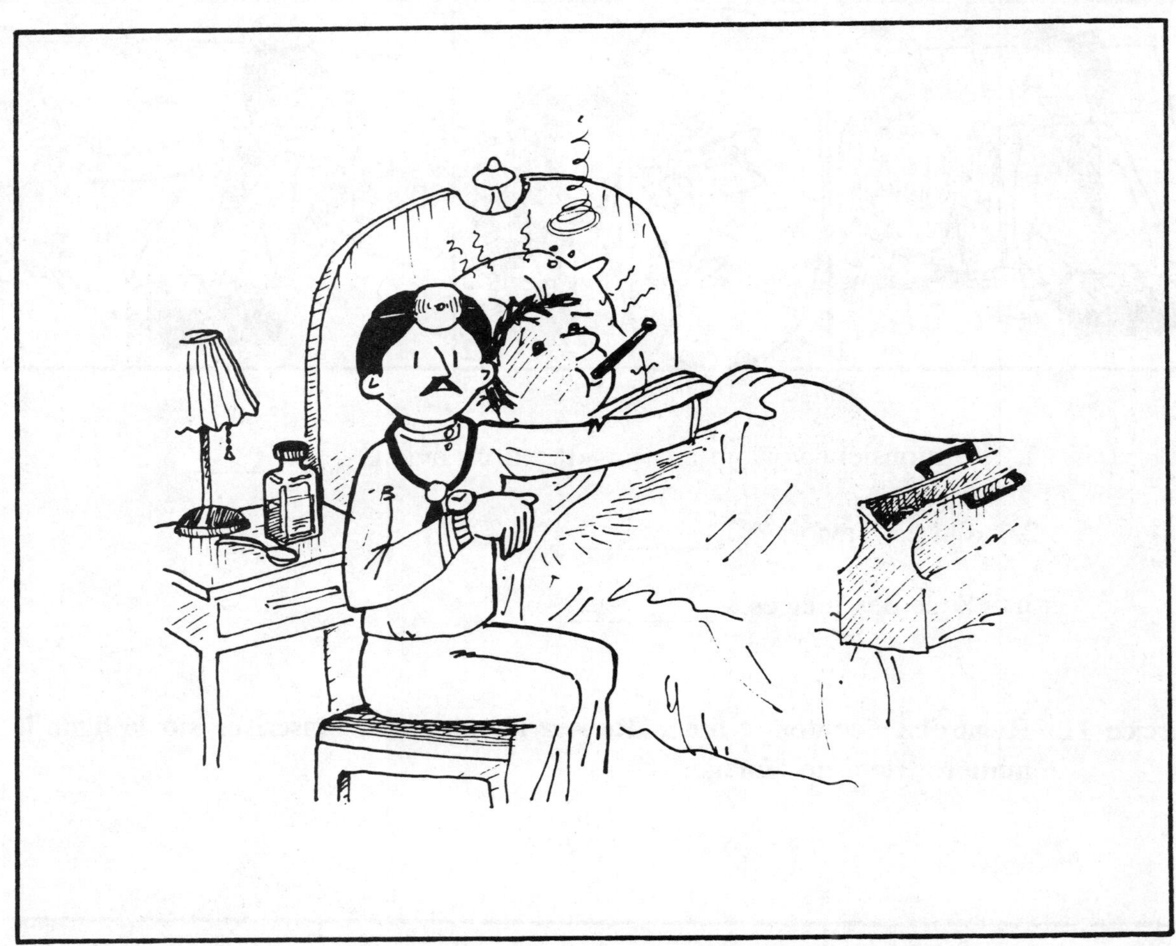

Le gros monsieur est malade. Le docteur a sa main sur l'estomac du gros monsieur. Le médicament dans le flacon est sur la table, à côté du lit. Le gros monsieur a un thermomètre dans la bouche.

Questions

1. Où est la main du docteur ?

2. Où est le thermomètre ?

3. Où est le flacon de médicament ?

Exercice 13. **Regardez, écoutez et lisez. Relisez le paragraphe et inscrivez sur la ligne la lettre correcte.**

Le monsieur est un passager dans l'avion. Il a un livre à la main. Un agent de police est à côté du monsieur. Il a une banane à la main. Il y a un bébé par terre. Il y a un flacon à côté du bébé.

1. Où est le monsieur ? __________
2. Où est le livre du monsieur ? __________
3. Où est la banane ? __________
4. Où est le bébé ? __________
5. Où est le flacon ? __________

A. À côté du bébé

B. Dans sa main

C. Dans la main de l'agent

D. Par terre

E. Dans l'avion

Exercice 14. Complétez. Inscrivez le mot exact.

la	encore
renverse	il y a
voit	donne

1. Le monsieur _______________ le lait au bébé.
2. _______________ un livre sur le plancher.
3. La dame boit _______________ du lait.
4. _______________ nourriture est sur la table.
5. Elle _______________ le singe.

Révision
Leçons 1 à 10

Révision 1. Regardez, écoutez et lisez.

1. Un couteau, une fourchette et une cuillère sont sur la table.
2. Le garçon met une assiette sur la table.
3. La grosse dame s'assied. Elle a faim.

4. Le garçon donne une carte à la dame.
5. Sur le plateau, il y a un bol de spaghetti, une assiette de viande et un verre de lait.
6. Le garçon sert un bol de spaghetti à la dame. Il met le bol de spaghetti sur l'assiette.

7. Il met le verre de lait à côté de l'assiette. Il met l'assiette de viande à côté du verre de lait. Il met du pain à côté de l'assiette de viande.
8. «Garçon, où est la fourchette ?»
9. «La fourchette est ici, à côté de l'assiette.»

Révision 2. Regardez, écoutez et lisez.

1. «Garçon, un autre verre de lait, s'il-vous-plaît.»

2. La dame tartine du beurre sur le pain.

3. Le garçon apporte un autre verre de lait.

4. Le garçon laisse tomber le plateau. Le lait est sur le plancher.

5. Il est embarrassé.

6. Un autre garçon sert le dessert. Il sert le gâteau à la dame et de la glace au monsieur.

Révision 3. Regardez, écoutez et lisez.

1. La grosse dame se retourne. Elle voit le verre et le lait sur le plancher.
2. Le garçon est embarrassé. Il a une serviette. Il essuie le lait.
3. Le garçon apporte un autre verre de lait. Il met le verre de lait à côté de l'assiette de viande.

4. La grosse dame voit un chien. Il dort sous la table. Elle voit un bébé. Le bébé marche à quatre pattes sous une autre table.
5. Le bébé pleure. La maman du bébé prend le bébé.
6. Elle met un thermomètre dans sa bouche.

7. Le bébé est malade. Il a de la fièvre.
8. Elle embrasse la main du bébé et elle embrasse l'oreille du bébé.
9. Elle embrasse la poitrine du bébé et l'estomac du bébé.

Révision 4. Regardez, écoutez et lisez.

1. La grosse dame mange un œuf et du pain.
2. Le dessert est de la glace et du gâteau. Elle mange de la glace et du gâteau.
3. Elle voit une robe dans un magasin de confection.

4. La robe est trop petite.
5. La vendeuse apporte une autre robe.
6. La robe est parfaite. La veste du monsieur est trop petite.

7. La dame achète la robe. Une veste, une robe et un pantalon sont des vêtements.
8. Elle achète du pain et du poisson dans un magasin d'alimentation. Tout le monde achète du pain et du poisson.

9. Elle entre dans la voiture. Elle conduit à la maison.

Révision 5. Regardez, écoutez et lisez.

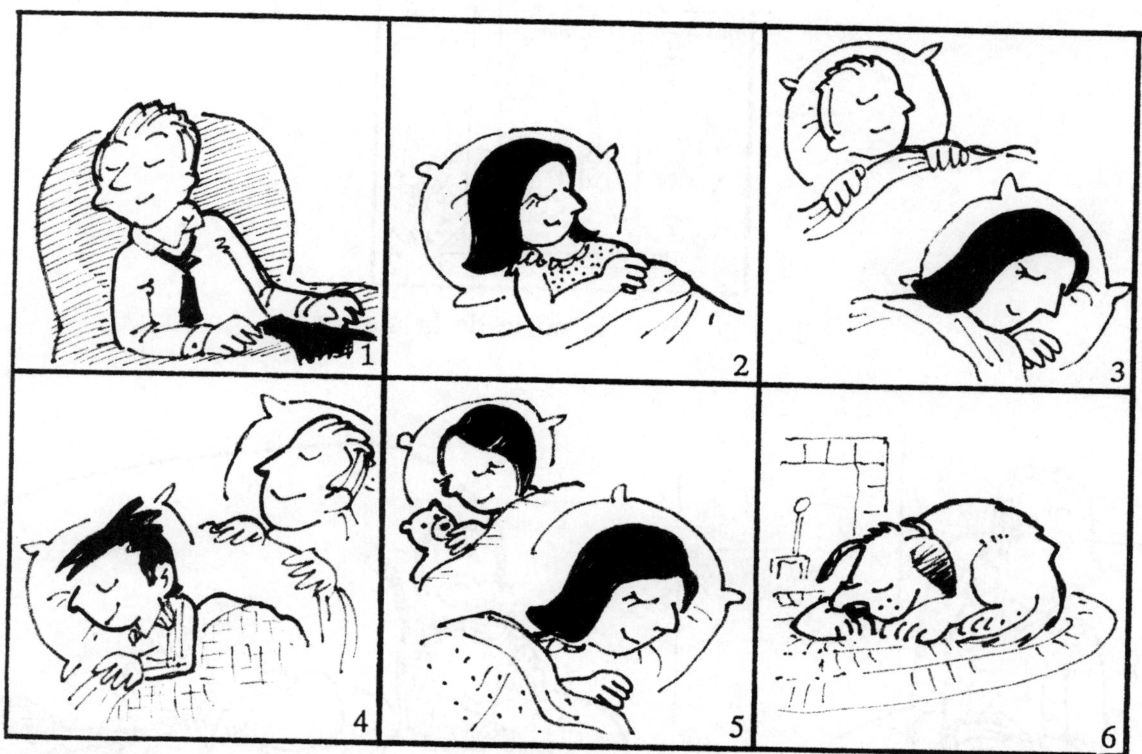

1. Papa dort. Il dort.
2. Maman dort. Elle dort.
3. Papa et maman dorment.
4. Papa et le garçon dorment.
5. Maman et la fille dorment.
6. Le chien dort.

Révision 6. Regardez, écoutez et lisez.

1. Elle sort de la voiture.

2. Elle ouvre la porte de la maison.

3. Papa, le bébé, le singe et le petit chien dorment. Un avion est à côté du bébé. Le chapeau de papa est à côté du bébé. Le chapeau est grand.

4. Elle met la nourriture sur la table, à côté d'une tasse de café.

5. Il y a un arbre à côté de la maison. Elle voit le singe dans l'arbre.

6. Il laisse tomber sa banane sur le bébé.

7. «Vilain singe !»

8. Elle donne une fessée au singe.

9. Le singe pleure.

Révision 7. Regardez, écoutez et lisez.

1. Un pilote pilote un avion.

2. Il y a un passager dans l'avion.

3. Il regarde par le hublot.

4. Le passager voit un incendie et des pompiers.

5. Le passager voit un nuage et le soleil.

6. Il voit une maison. Il voit un autobus.

Exercise 1. **Regardez, écoutez et lisez. Relisez les phrases et écrivez sur la ligne le numéro exact de l'image.**

1. L'agent de police mange de la viande et boit un verre de lait. _________
2. Il voit un bébé sur le plancher. _________
3. Il prend le bébé. _________
4. Il donne le bébé à sa maman. _________
5. La maman du bébé a un thermomètre dans la main. _________
6. Elle met le thermomètre dans la bouche du bébé. _________

Exercise 2. **Regardez, écoutez et lisez. Relisez les phrases et écrivez sur la ligne le numéro exact de l'image.**

1. Le pompier a faim. Il s'assied. __________
2. Le pompier mange de la viande et boit un verre de lait. __________
3. Le garçon sert un autre verre de lait au pompier. __________
4. Le pompier laisse tomber son verre de lait sur le plancher. __________
5. Une dame se retourne. __________
6. Elle voit le lait sur le plancher. __________
7. Le pompier est embarrassé. __________
8. Tout le monde rit. __________
9. Tout le monde boit du lait. __________

Exercise 3. Regardez, écoutez et lisez. Relisez les phrases et écrivez sur la ligne le numéro exact de l'image.

1. La dame achète un gâteau. ________
2. Le monsieur achète une pomme. ________
3. Le garçon achète une glace. ________
4. L'agent achète un flacon. ________
5. Il ouvre la porte de sa maison. ________
6. Il s'assied. ________
7. Il coupe du pain. ________
8. Il boit son lait. ________
9. Ensuite, il renverse son lait. ________

ANSWER KEY

Lessons 1 and 2

Exercise 1

1. 6
2. 5
3. 1
4. 3
5. 4
6. 2

Exercise 2

1. 6
2. 5
3. 2
4. 4
5. 3
6. 1

Exercise 3

1. 4
2. 1
3. 5
4. 2
5. 6
6. 3

Exercise 4

1. 5
2. 1
3. 4
4. 6
5. 3
6. 2

Exercise 5

1. 4
2. 3
3. 6
4. 2
5. 1
6. 5

Exercise 6

1. mange
2. dans
3. table
4. garçon
5. et

Lessons 3 and 4

Exercise 1

1. 9
2. 3
3. 6
4. 8
5. 1
6. 5
7. 7
8. 2
9. 4

Exercise 2

1. 6
2. 1
3. 4
4. 5
5. 3
6. 2

Exercise 3

1. 3
2. 1
3. 2

Exercise 4

1. 3
2. 1
3. 2

Exercise 5

1. 7
2. 3
3. 4
4. 9
5. 2
6. 8
7. 1
8. 5
9. 6

Exercise 6

1. 6
2. 4
3. 1
4. 7
5. 9
6. 2
7. 8
8. 5
9. 3

Exercise 7

1. 2
2. 5
3. 7
4. 1
5. 9
6. 3
7. 8
8. 4
9. 6

Exercise 8

1. 4
2. 6
3. 8
4. 3
5. 1
6. 2
7. 9
8. 5
9. 7

Exercise 9

1. 5
2. 4
3. 9
4. 3
5. 7
6. 2
7. 8
8. 6
9. 1

Exercise 10

1. rue
2. met
3. dans
4. plus de
5. grande

Exercise 11

1. la
2. du docteur
3. de
4. dans
5. l'

Lessons 5 and 6

Exercise 1

1. 4
2. 3
3. 5
4. 1
5. 6
6. 2

Exercise 2

1. 1
2. 2
3. 3
4. 4
5. 5
6. 6

Exercise 3

1. 1
2. 2

Exercise 4

1. 6
2. 1
3. 2
4. 4
5. 5
6. 3

Exercise 5

1. 5
2. 2
3. 1
4. 6
5. 3
6. 4

Exercise 6

1. 5
2. 2
3. 4
4. 3
5. 6
6. 1

Exercise 7

1. 4
2. 6
3. 2
4. 5
5. 1
6. 3

Exercise 8

1. 6
2. 7
3. 9
4. 8
5. 4
6. 5
7. 2
8. 3
9. 1

Exercise 9

1. 2
2. 5
3. 3
4. 6
5. 4
6. 1

Exercise 10

1. 2
2. 3
3. 4
4. 5
5. 1
6. 6

Exercise 11

1. 5
2. 3
3. 4
4. 6
5. 1
6. 2

Exercise 12

1. 2
2. 4
3. 1
4. 3
5. 6
6. 5

Exercise 13

1. 3
2. 1
3. 2
4. 6
5. 4
6. 5

Exercise 14

1. 3
2. 1
3. 7
4. 8
5. 2
6. 4
7. 6
8. 5

Exercise 15

1. 5
2. 6
3. 2
4. 3
5. 1
6. 4

Exercise 16

1. conduit
2. encore une
3. achète
4. il
5. sort

Exercise 17

1. tout le monde
2. entre
3. apporte
4. veste
5. sort

Lesson 7

Exercise 1

1. 3
2. 5
3. 1
4. 4
5. 2

Exercise 2

1. 5
2. 3
3. 1
4. 4
5. 2
6. 8
7. 7
8. 9
9. 6

Exercise 3

1. 6
2. 4
3. 12
4. 9
5. 11
6. 8
7. 1
8. 10
9. 3
10. 5
11. 2
12. 7

Exercise 4

1. 2
2. 1
3. 3

Exercise 5

1. 9
2. 8
3. 2
4. 6
5. 7
6. 5
7. 1
8. 4
9. 3

Exercise 6

1. 5
2. 6
3. 1
4. 4
5. 2
6. 3

Exercise 7

1. 1
2. 6
3. 5
4. 3
5. 4
6. 2

Exercise 8

1. 9
2. 3
3. 2
4. 7
5. 8
6. 4
7. 1
8. 6
9. 5

Exercise 9

1. 1
2. 2

Exercise 10

1. 4
2. 6
3. 5
4. 1
5. 3
6. 2

Exercise 11

1. 1
2. 5
3. 2
4. 3
5. 6
6. 4

Exercise 12

1. 6
2. 2
3. 5
4. 4
5. 1
6. 3

Exercise 13

1. 2
2. 3
3. 5
4. 6
5. 1
6. 4

Exercise 14

1. 2
2. 4
3. 1
4. 6
5. 9
6. 8
7. 7
8. 5
9. 3

Exercise 15

1. 6
2. 2
3. 5
4. 3
5. 1
6. 4

Exercise 16

1. voit
2. sur
3. aliments
4. au lit
5. décolle

Lesson 8

Exercise 1

1. 1
2. 3
3. 2

Exercise 2

1. 2
2. 6
3. 9
4. 7
5. 3
6. 4
7. 1
8. 8
9. 5

Exercise 3

1. 3
2. 2
3. 1

Exercise 4

1. 5
2. 3
3. 1
4. 2
5. 4
6. 6

Exercise 5

1. C
2. D
3. A
4. B

Exercise 6

1. 5
2. 1
3. 3
4. 4
5. 6
6. 2

Exercise 7

1. 2
2. 8
3. 7
4. 1
5. 3
6. 4
7. 6
8. 5

Exercise 8

1. 2
2. 3
3. 6
4. 4
5. 5
6. 1

Exercise 9

1. 6
2. 3
3. 4
4. 1
5. 2
6. 5

Exercise 10

1. 3
2. 2
3. 1

Exercise 11

1. 6
2. 4
3. 1
4. 5
5. 3
6. 2

Exercise 12

1. 3
2. 6
3. 5
4. 7
5. 2
6. 1
7. 4

Exercise 13

1. 4
2. 1
3. 6
4. 3
5. 5
6. 2

Exercise 14

1. 3
2. 2
3. 6
4. 5
5. 1
6. 4

Exercise 15

1. 6
2. 1
3. 5
4. 2
5. 3
6. 4

Exercise 16

1. boit
2. met
3. ouvre
4. beurre
5. dort

Lesson 9

Exercise 1

1. 5
2. 3
3. 6
4. 1
5. 4
6. 2

Exercise 2

1. 4
2. 5
3. 6
4. 1
5. 2
6. 3

Exercise 3

1. 2
2. 8
3. 3
4. 7
5. 6
6. 5
7. 9
8. 1
9. 4

Exercise 4

1. D
2. C
3. B
4. A

Exercise 5

1. 2
2. 5
3. 4
4. 3
5. 1
6. 6

Exercise 6

1. 1
2. 4
3. 2
4. 5
5. 3
6. 6

Exercise 7

1. 5
2. 4
3. 3
4. 1
5. 2
6. 6

Exercise 8

1. 3
2. 5
3. 6
4. 2
5. 1
6. 4

Exercise 9

1. 3
2. 6
3. 5
4. 2
5. 1
6. 4

Exercise 10

1. 4
2. 2
3. 1
4. 6
5. 3
6. 5

Exercise 11

1. 3
2. 5
3. 1
4. 2
5. 6
6. 4

Exercise 12

1. 6
2. 4
3. 2
4. 3
5. 5
6. 1

Exercise 13

1. 5
2. 3
3. 1
4. 4
5. 9
6. 6
7. 2
8. 7
9. 8

Exercise 14

1. 4
2. 3
3. 2
4. 6
5. 7
6. 1
7. 5
8. 8
9. 9

Exercise 15

1. 5
2. 2
3. 6
4. 3
5. 1
6. 4

Exercise 16

1. 3
2. 1
3. 2
4. 6
5. 5
6. 4

Exercise 17

1. 5
2. 6
3. 7
4. 3
5. 2
6. 8
7. 4
8. 9
9. 1

Exercise 18

1. 4
2. 2
3. 3
4. 1

Exercise 19

1. 3
2. 5
3. 4
4. 1
5. 2
6. 6

Exercise 20

1. 6
2. 3
3. 10
4. 2
5. 5
6. 7
7. 9
8. 8
9. 4
10. 1

Exercise 21

1. 4
2. 5
3. 6
4. 7
5. 8
6. 9
7. 1
8. 2
9. 3

Exercise 22

1. pièce
2. dame
3. monsieur
4. aliment
5. vêtements

Lesson 10

Exercise 1

1. 5
2. 6
3. 4
4. 3
5. 8
6. 1
7. 2
8. 10
9. 9
10. 7

Exercise 2

1. 3
2. 1
3. 4
4. 2

Exercise 3

1. 10
2. 6
3. 2
4. 4
5. 1
6. 9
7. 7
8. 5
9. 8
10. 3

Exercise 4

1. 4
2. 2
3. 6
4. 3
5. 1
6. 5

Exercise 5

1. 4
2. 5
3. 7
4. 6
5. 2
6. 8
7. 3
8. 9
9. 1

Exercise 6

1. 4
2. 1
3. 2
4. 5
5. 6
6. 3

Exercise 7

1. 6
2. 1
3. 4
4. 5
5. 3
6. 2

Exercise 8

1. 2
2. 5
3. 4
4. 1
5. 6
6. 3

Exercise 9

1. 1
2. 3
3. 4
4. 2
5. 6
6. 5

Exercise 10

1. 3
2. 1
3. 2

Exercise 11

1. 3
2. 2
3. 1

Exercise 12

1. La docteur a sa main sur l'estomac du gros monsieur.
2. Le thermomètre est dans la bouche du gros monsieur.
3. Le flacon de médicament est sur la table, à côte du lit.

Exercise 13

1. E
2. B
3. C
4. D
5. A

Exercise 14

1. donne
2. Il y a
3. encore
4. la
5. voit

Review Test 1

1. 2
2. 5
3. 3
4. 6
5. 4
6. 1

Review Test 2

1. 2
2. 9
3. 5
4. 6
5. 4
6. 3
7. 1
8. 8
9. 7

Review Test 3

1. 9
2. 1
3. 6
4. 2
5. 4
6. 3
7. 7
8. 8
9. 5

Vocabulary for The Learnables® and Basic Structures Introduced by Lesson

THE LEARNABLES®

Leçon 1

1. avion (l'avion)
2. crayon
3. dame
4. docteur
5. et
6. grand
7. grande
8. l' (l'avion)
9. la
10. le
11. maison
12. mange
13. pain
14. petit
15. petite
16. pomme
17. table
18. viande
19. voiture

Leçon 2

1. chaise
2. couteau
3. dans
4. de
5. du
6. est
7. fourchette
8. garçon
9. main
10. œuf (l'œuf)
11. oreille (l'oreille)
12. poisson
13. sur
14. tasse

BASIC STRUCTURES: Leçons 1 and 2

monsieur

THE LEARNABLES®

Leçon 3

1. arbre (l'arbre)
2. autobus (l'autobus)
3. banane
4. boit
5. bol
6. café
7. chemise
8. eau (l'eau)
9. rue
10. sous

Leçon 4

1. apporte
2. assiette (l'assiette)
3. carte
4. cravate
5. cuillère
6. d' (d'eau)
7. encore
8. ensuite
9. fille
10. met
11. plus
12. robe
13. un
14. verre

BASIC STRUCTURES: Leçons 3 and 4

une

THE LEARNABLES®

Leçon 5

1. achète
2. autre
3. boivent
4. glace
5. gros
6. grosse
7. les
8. mangent
9. mince
10. monde (tout le monde)
11. pantalon
12. parfait
13. parfaite
14. rit
15. s'il-vous-plaît
16. sont
17. spaghetti
18. tout (tout le monde)
19. trop
20. vendeur
21. veste

Leçon 6

1. a
2. agent (l'agent)
3. arrivent
4. au (au feu)
5. au revoir
6. chien
7. conduit
8. des
9. entre
10. feu
11. faim
12. il
13. incendie
14. pilote
15. police
16. pompier
17. pompiers
18. sort
19. sortent
20. voient
21. voit

BASIC STRUCTURES: Leçons 5 and 6

1. arrive
2. parfaits

THE LEARNABLES®

Leçon 7

1. aliment
2. au
3. bébé
4. bouche
5. décolle
6. elle
7. embrasse
8. enlève
9. fièvre
10. flacon
11. lit
12. malade
13. maman
14. médicament
15. nourriture
16. pleure
17. poitrine
18. pomme de terre
19. souliers
20. thermomètre

Leçon 8

1. à
2. alimentation (d'alimentation)
3. beurre
4. chapeau
5. chapeaux
6. cogne (se cogne)
7. confection
8. contre
9. court
10. dort
11. embrassent (s'embrassent)
12. lait
13. magasin
14. où
15. ouvre
16. papa
17. pièce
18. porte
19. prend
20. regarde
21. rient
22. robes
23. s' (s'embrassent)
24. se
25. soif
26. tartine
27. vendeuse
28. vêtements
29. voici

BASIC STRUCTURES: Leçons 7

1. aliments
2. gueule
3. pommes de terre
4. soulier

BASIC STRUCTURES: Leçons 8

1. chat
2. vers

THE LEARNABLES®

Leçon 9

1. à côté
2. à quatre pattes
3. bien
4. cet
5. cette
6. cherche
7. coupe
8. cuisine
9. de nouveau
10. donne
11. écrasé
12. essuie
13. fenêtre
14. fessée
15. gentil
16. ici
17. jette
18. laisse (laisse tomber)
19. maintenant
20. mets
21. non
22. pas
23. pattes (à quatre pattes)
24. plancher
25. quatre (à quatre pattes)
26. tomber
27. torchon
28. veut
29. vilain

BASIC STRUCTURES: Leçon 9

1. ce
2. écrasée
3. grandes
4. grands
5. marche
6. petites
7. petits
8. ramasse
9. rampe
10. tasses

Leçon 10

1. aéroport (l'aéroport)
2. assied (s'assied)
3. billet
4. dessert
5. embarrassé
6. embarrassée
7. estomac (l'estomac)
8. gâteau
9. hôtesse (l'hôtesse)
10. hôtesse de l'air (l'hôtesse de l'air)
11. hublot
12. ici (par ici)
13. il y a
14. livre
15. mademoiselle
16. nuages
17. ou
18. oui
19. par
20. passager
21. plateau
22. près
23. renverse
24. retourne
25. sert
26. serviette
27. singe
28. soleil
29. terre (par terre)
30. touche
31. vieille
32. vieux

BASIC STRUCTURES: Leçon 10

1. assis
2. assise
3. atterrit
4. donnez
5. embarrassés
6. garçons
7. mère
8. nuage
9. oreilles
10. passagers
11. pleurent
12. sa
13. ses
14. son

Révision, Leçons 1 - 10

1. d'une
2. dorment